D1156317

LE PRINCIPE DE DILBERT™

LE PRINCIPE DE DILBERT™

SCOTT ADAMS

Traduit de l'américain par Françoise Fauchet

Savoir pour agir

ISBN : 2-87691-345-3
Dépôt légal : 1er trimestre 1997

Nous nous efforçons de publier des ouvrages qui correspondent à vos attentes et votre satisfaction est pour nous une priorité.
Toutes vos observations nous sont précieuses pour nous améliorer.
Alors n'hésitez pas à nous faire part de vos commentaires à :

Éditions Générales First
70, rue d'Assas, 75006 Paris
Tél. 01 45 44 88 88
Fax. 01 45 44 88 77
Minitel : 3615 AC3* FIRST
Internet e-mail : first@imaginet.fr.

Bienvenue chez Dilbert. Bienvenue en enfer.

Salariés humiliés, patrons incompétents, informaticiens fous, ingénieurs niais, DRH lucifériens, consultants navrants... Dans les couloirs de cette entreprise modèle où sévit et survit le personnage de Dilbert, vous croiserez vraisemblablement quelqu'un que vous connaissez. Quelqu'un qui vous rappelle qu'à San Francisco ou à La Défense, la vie de bureau reste toujours la même : paysagée. Ce qui se traduit généralement par : triste, vaine, carcérale et végétative.

Les scènes de ce livre pathétiquement drôle ont beau se passer dans les locaux de la Pacific Bell où l'auteur a gâché sa jeunesse et tiré une partie de son inspiration,* elles pourraient avoir lieu n'importe où. Dans votre société, par exemple. Au milieu de ce troupeau de « collègues » qui depuis un certain nombre d'années, se reproduit spontanément et impunément avec un objectif unique : durer. Tenir, perdre du temps pour en gagner, (se) cacher sa propre incompétence et finir comme les autres, licencié.

Ça vous dit quelque chose ? A nous aussi. La société décrite par Scott Adams est d'ailleurs tellement similaire aux nôtres que le travail d'adaptation de cette version française en a été anormalement facilité. Il s'agit d'une traduction, à la lettre, de la vie d'une entreprise à l'heure de la mondialisation. Avec très peu de transcriptions (du genre : quitter son bureau à six heures au lieu de cinq heures). Et une seule vraie difficulté de compréhension qui concerne la coiffure des cadres dirigeants (page 285). Aux Etats-Unis, les chefs sont toujours brushés, laqués, bouffants. Le cheveu y est signe, l'apanage d'un statut socioprofessionnel. Rien de tel sur le Vieux Continent. Mais c'est sans doute l'unique différence notable entre un salarié américain et un salarié français.

Alors, cadres de tous les pays, unissez vous ? Il s'en faudrait d'un cheveu.

L'Éditeur

* Selon l'auteur, l'autre partie de son inspiration lui vient de ses lecteurs (cent quarante millions, au dernier recensement) et des trois cent cinquante histoires vraies qu'ils lui adressent chaque jour.

SOMMAIRE

Avant-propos

GRANDE OUVERTURE

En ce moment, on a l'impression qu'il suffit d'avoir un portable pour se faire un peu d'argent grâce à la production en série de livres sur le management. En tout cas, c'est bien ce que j'espère. Ce serait vraiment dommage si la tendance s'inversait avant que ce chef-d'œuvre n'ait vu le jour.

Comme certains d'entre vous le savent peut-être, je suis avant tout un dessinateur. Inutile de dire que c'est un véritable défi pour un dessinateur que d'écrire tout un livre. Les dessinateurs apprennent d'abord à être concis. D'ailleurs, tout ce que j'ai appris au cours de ma vie peut se résumer en une dizaine de points. J'en ai déjà oublié certains.

Je doute que vous apprécieriez de ne trouver dans cet épais bouquin qu'une dizaine de points, surtout si la plupart d'entre eux n'étaient là qu'en guise de fioriture ; c'est pourquoi mon « programme d'excellence » consiste à me répéter souvent, histoire de faire du volume. En termes de marketing, on appelle cela de la « valeur ajoutée ». Pour rendre votre lecture plus agréable, j'émaillerai par ailleurs mon discours de nombreuses métaphores très imagées quoique parfaitement inutiles. En fait, je dois bien avouer que les analogies citées ici ne valent pas mieux qu'une fouine dans une chemise en carton. *

* Je ne garantis pas qu'elles soient toutes de cette qualité.

POURQUOI TANT D'ABSURDITÉ ?

La plupart des thèmes que j'aborde dans « Dilbert » ont trait au monde du travail. On y rencontre régulièrement des choses étranges et peu réalistes, notamment des animaux sadiques qui parlent, des comptables qui ressemblent à des trolls et des salariés qu'on transforme en serpillières à force de leur presser le citron. Pourtant, je m'entends souvent dire :

« On dirait ma boîte. »

Malgré tous mes efforts pour accentuer l'absurdité dans mes dessins, je suis toujours en-dessous de la réalité. Voici d'ailleurs quelques exemples de cette fameuse réalité :

- Une grande société n'hésite pas à lancer deux projets en même temps : un programme de contrôle inopiné de prise de drogue et un programme de « protection de la dignité personnelle ».
- Une société achète des portables pour ses employés en déplacement. Par crainte des vols, la direction suggère une astucieuse solution : les ordinateurs seront définitivement arrimés aux bureaux desdits employés.
- Une société de transport décide de se réorganiser afin de redéfinir les rôles et de clarifier les objectifs de chacun. Pour communiquer les changements, la direction choisit de demander à chaque service de construire un char pour un défilé sur le thème de la qualité.
- Souhaitant renforcer l'esprit d'équipe dans son service, un cadre d'une société de télécommunications organise une réunion pour annoncer à son personnel son intention de ne plus se déplacer désormais sans sa batte de base-ball. Chaque membre de l'équipe doit avoir en permanence une balle de base-ball sur lui pendant ses heures de

travail. Naturellement, les non sportifs trouvent le moyen de s'attacher la balle autour du cou afin de ne pas avoir à la porter. Les autres n'ont qu'une envie, celle de devenir batteur à la place du batteur.

- Une société décide de ne pas accorder d'augmentations mais de verser des primes à son personnel s'il atteint cinq de ses sept objectifs. A la fin de l'année, les employés sont informés qu'ils ne toucheront pas de prime car ils n'ont atteint que quatre objectifs. Parmi les objectifs à côté desquels ils sont passés : le « moral des employés ».

Des milliers de personnes m'ont raconté des histoires (la plupart par courrier électronique) encore plus absurdes que ces exemples. Au début, elles me stupéfiaient, mais après mûre réflexion, j'ai élaboré une savante théorie justifiant l'existence des étranges comportements que l'on rencontre dans le monde de l'entreprise : les gens sont idiots.

Moi aussi, d'ailleurs. Nous sommes tous idiots ; n'en sont pas affligés que ceux qui faiblissent en test d'orientation. La seule différence est que nous ne sommes pas toujours tous idiots dans les mêmes circonstances. Aussi intelligent qu'on soit, on passe une bonne partie de la journée à être idiot. C'est sur cette brillante hypothèse de départ que repose cet ouvrage.

AUTODÉNIGREMENT OBLIGATOIRE

C'est avec fierté que je m'inclus dans la catégorie des idiots. Dans notre société moderne, l'idiotie n'est pas, chez la plupart des gens, une condition générale et permanente vingt-quatre heures sur vingt-quatre. C'est un état dans lequel tout le monde glisse à plusieurs reprises au cours de la journée. La vie est tout bonnement trop compliquée pour qu'on puisse être intelligent tout le temps.

L'autre jour, j'ai porté mon Alphapage à réparer parce qu'il était en panne. Je venais d'en changer la pile. Le réparateur me l'a pris des mains, a soulevé le cache, retourné la pile, et m'a rendu un appareil en parfait état de marche. Cette simple manipulation m'a naturellement privé de la joie de pouvoir me plaindre à juste titre de la qualité du produit. Le réparateur, lui, avait l'air plutôt amusé ; de même que tous les autres clients dans la boutique.

Ce jour-là, dans cette situation, j'ai été totalement idiot. Pourtant, je m'étais très bien débrouillé pour faire l'aller-retour jusqu'au magasin en voiture. Voilà une merveilleuse caractéristique humaine que d'être capable de passer de l'intelligence à l'idiotie à plusieurs reprises au cours de la même journée sans même le remarquer, ou alors en tuant accidentellement d'innocents passants.

MES QUALIFICATIONS

Maintenant que j'ai avoué mon incapacité à remplacer la pile de mon Alphapage, vous vous demandez sans doute ce qui me fait croire que je suis qualifié pour écrire cet ouvrage d'érudition. Je pense que vous serez impressionné par l'étendue de mon expérience et de mes performances :

1. J'ai convaincu une maison d'édition de publier ce livre. Cela peut vous sembler dérisoire, mais c'est sans doute déjà beaucoup plus que ce que vous n'avez fait aujourd'hui. Et cela n'a pas été facile. Il m'a fallu déjeuner avec des gens que je ne connaissais même pas.

2. J'ai travaillé dans un bureau cloisonné pendant dix-sept ans. La plupart des ouvrages sur l'entreprise sont écrits par des consultants et des professeurs qui n'ont guère passé de temps dans ce genre d'environnement. C'est comme prétendre rédiger un article de première main sur l'expérience vécue par les survivants de la cordillère des Andes simplement parce qu'on a déposé un jour quelqu'un à l'aéroport. Moi, j'ai vraiment dû me battre et mordre une ou deux chevilles pour survivre.

3. Je suis un hypnotiseur émérite. Il y a des années, j'ai suivi des cours d'hypnose. Cette formation m'a accessoirement permis de découvrir que les gens sont de stupides balourds que le manque de bon sens rend aisément manipulables. (J'ai dû payer l'information environ 2 500 francs). Et cela ne vaut pas uniquement pour les soi-disant bons sujets, mais pour tout le monde. C'est dû à nos connexions neuronales. On se fait d'abord une idée et ensuite seulement on tente de lui trouver une explication logique. Mais compte tenu de l'étrange maillage de nos perceptions, on est fermement convaincu que nos décisions reposent sur la raison. C'est faux.

Les études menées par d'importantes personnalités scientifiques * montrent que la région du cerveau où siège la pensée rationnelle n'entre en fait en activité qu'une fois le geste accompli. Le principe de l'hypnose le confirme. En effet, il suffit de suggérer une idée invraisemblable à quelqu'un après sa séance d'hypnose et de lui demander ensuite d'expliquer pourquoi il a fait ce qu'il a fait pour qu'il insiste sur l'aspect logique de son geste à ce moment-là ; logique plus torturée que les oreilles de Pavarotti lorsque Patrick Bruel se met à chanter.

L'hypnotiseur développe rapidement une méfiance totale à l'égard

* Ces personnalités scientifiques étaient effectivement importantes, néanmoins pas au point que je me souvienne de leurs noms ni que cela vous dérange de ne pas les connaître. En tout cas, je suis sûr que c'est vrai parce que je l'ai lu dans un magazine.

du lien entre les motivations et les actions de chacun. Ce cours a fondamentalement modifié ma façon de voir le monde.

4. Personne ne croit aux statistiques. Parfait, cela m'épargne de perdre un temps précieux. Je n'aurai donc aucun remords à avoir éventuellement recours à des statistiques forgées de toutes pièces. Si vous êtes « normal », vous croirez à toutes les études qui vont dans le sens des idées actuelles et vous ne tiendrez aucun compte des autres. Il m'est donc inutile de citer une quelconque référence pour justifier mes recherches. Si nous sommes d'accord sur le fait qu'il serait futile d'essayer de vous influencer avec des travaux personnels, nous gagnerons tous du temps.

Cela ne veut pas dire que je me passe totalement des statistiques. Loin de là. Tout au long de ce livre, je fais référence à des études scientifiques. Naturellement, elles sortent toutes en droite ligne de mon imagination. Mais ma version des faits vous rendra la lecture plus agréable que si j'avais mentionné de véritables recherches, et au bout du compte le résultat sera le même.

Tout bien considéré, la plupart des études publiées dans les médias sont soit totalement trompeuses soit volontairement déformées. Cet ouvrage ne fait pas exception à la règle, mais au moins ne sous-estime-t-il pas votre intelligence. Comment le pourrait-il ?

LE RÔLE DE L'INTELLIGENCE DANS L'ENTREPRISE

Je ne sais pas pourquoi l'économie fonctionne, mais je suis certain que ce n'est pas parce que des gens intelligents la dirigent. A mon avis, si on additionne toutes les activités absurdes auxquelles s'adonnent les gestionnaires, leurs bêtises finissent par s'annuler. C'est ce qui permet de produire des objets sympas qu'on a envie d'acheter, comme les mini-billards de poche, idéaux pour le bureau, et le Liptonic. Ajoutons à ce petit mélange la loi de l'offre et de la demande, et on obtient quasiment la théorie économique.

Quatre-vingt-dix pour cent des créations d'entreprise se soldent par un échec. Il y en a quand même dix pour cent qui ont de la chance, ce qui suffit visiblement à soutenir une économie moderne. Je parie que c'est ce qui nous distingue des animaux ; eux n'ont de la chance que neuf pour cent du temps. C'est fort probablement le cas : quand je joue au strip-poker avec mes chats, il est rare qu'ils gagnent. Ils en sont même arrivés au point de filer comme des lâches au bruit de mon rasoir électrique.

Le monde est devenu si compliqué que nous passons nos journées à bluffer au travail en espérant que personne ne découvre à quel point, en vérité, nous sommes nigauds. Tout le monde essaie constamment, dans un effort absurde, de trouver une explication logique aux choses stupides qu'il a faites.

Le milieu du travail n'est peut-être pas responsable de notre stupidité, cependant c'est l'endroit où elle se fait le plus remarquer. Dans la vie privée, nous tolérons les comportements étranges. Ils nous semblent même normaux. (Si vous ne me croyez pas, pensez un instant aux membres de votre famille).

Au travail, en revanche, nous pensons que tout le monde doit agir selon une pensée logique et structurée. Dans le monde de l'entreprise, toute absurdité fait tache comme une nonne morte sur un tas de neige*. Je reste persuadé qu'on ne trouve pas plus d'absurdités dans la vie professionnelle que dans la vie quotidienne, mais qu'en l'occurrence elle y est nettement plus visible.

Notre tendance à nous prendre au sérieux m'amuse beaucoup. Nous reconnaissons rarement notre propre stupidité, pourtant nous n'avons aucun mal à mettre le doigt sur celle des autres. La principale source des tensions dans l'entreprise est là : nous attendons des autres qu'ils fassent preuve de bon sens alors que nous en manquons nous-même.

Il est illusoire d'attendre un comportement logique des gens avec lesquels on travaille, comme de n'importe qui d'autre d'ailleurs. A se faire une raison et admettre le fait qu'on est entouré d'idiots, on se rend vite compte que toute tentative de résistance est inutile. Les tensions retombent, on parvient à prendre du recul et à se gausser des autres.

Vous verrez, ce livre vous fera le plus grand bien.

L'ÉVOLUTION DES IDIOTS

Dans les milieux scientifiques, on pense que l'homme est le fabuleux résultat de milliards d'années d'évolution. Je ne me sens pas capable de vous expliquer la théorie de l'évolution en détail, mais je vais essayer de vous la résumer.

Théorie de l'évolution (résumé)

Au début, il y avait les amibes. Certaines amibes déviantes sont parvenues à mieux s'adapter à leur environnement et sont devenues des singes. Et puis on est passé au management par la Qualité Totale.

Je sais, j'omets certains détails, mais la théorie elle-même présente quelques lacunes qu'il vaut mieux ne pas aborder.

Quoi qu'il en soit, il nous a fallu de nombreuses années pour en arriver à ce degré élevé d'évolution. Ce rythme lent de changement nous convenait parfaitement ; de toute façon on n'avait pas grand-chose d'autre à faire que d'attendre que le temps passe en espérant ne pas se faire dévorer par les sangliers. Et puis quelqu'un est tombé sur un bâton pointu et a inventé la lance. Et les problèmes ont commencé.

---

* Si cela vous pose un problème de penser à une nonne morte, imaginez qu'elle est seulement grièvement blessée et qu'elle s'en remettra.

Je n'y étais pas, mais je suis prêt à parier que certains ont prétendu que la lance ne remplacerait jamais ces outils de prédilection qu'étaient les ongles. Les partisans du non ont dû hurler des insultes aux utilisateurs de lances, du genre « morg » et « blint ». (C'était avant la création de la marine marchande ; les jurons étaient limités.)

La « diversité » n'était pas à l'honneur à l'époque. M'est avis que les supporters du « non à la lance » ont fini par saisir le pointu de la question, si vous voyez où je veux en venir.

L'avantage de la lance tenait à ce que pratiquement tout le monde était capable de comprendre son fonctionnement. Au fond, cet objet ne présentait qu'une seule et unique caractéristique : son bout pointu. Le cerveau de l'homme était parfaitement adapté à ce niveau de complexité. Et pas seulement celui des membres de l'intelligentsia ; même le quidam parvenait à se débrouiller. Bref, l'existence était agréable, si ce n'est un petit fléau de temps à autre et une espérance de vie limitée à sept ans... et le fait que chacun priait dès l'âge de quatre ans pour que la mort arrive le plus vite possible. En tout cas, pratiquement personne ne se plaignait de ne pas comprendre comment manier la lance.

Et puis soudain (compte tenu de l'évolution), un déviant s'est mis à construire une presse d'imprimerie. La pente est devenue de plus en plus glissante. En l'espace de deux clins d'œil, nous voilà en train de changer les batteries de nos ordinateurs portables en plein ciel à bord d'oiseaux métalliques dans lesquels on vous sert des boissons non alcoolisées et des cacahuètes.

Pour moi, la plupart de nos problèmes actuels sont liés à la sexualité et au papier. Voici mon raisonnement : seule une personne sur un million est assez intelligente pour inventer la presse d'imprimerie. Par conséquent, lorsque la société ne comptait que quelques centaines d'anthropoïdes troglodytes, les chances pour que l'un d'entre eux fût un génie étaient relativement faibles. Cela ne les empêchait toutefois pas de faire l'amour. Voir un déviant Géotrouvetout passer au travers des mailles du filet génétique devint, avec chaque nouvelle naissance, plus probable. Quand plusieurs millions de personnes courent dans tous les sens à la recherche de relations sexuelles bon gré mal gré*, les chances augmentent qu'une anthropoïde se retrouve un jour accroupie au beau milieu d'un champ en train de pondre un déviant, futur inventeur de la presse d'imprimerie.

---

* Si vous n'avez encore jamais eu de rapports sexuels bon gré mal gré, je vous recommande d'essayer.

Avec l'apparition de la presse, notre destin fut scellé. En effet, chaque fois qu'un déviant intelligent a eu une bonne idée, on a pu la mettre noir sur blanc et la diffuser. Chaque nouvelle idée a servi de base à de nouvelles idées. La civilisation a explosé. La technologie est née. La complexité de la vie s'est géométriquement accrue. Tout est devenu plus grand et mieux.

Sauf notre cerveau.

Toute la technologie qui nous entoure, toutes les théories de management, les modèles économiques qui prédisent et guident notre comportement, la science qui nous permet de vivre jusqu'à quatre-vingts ans, tout cela est le fruit de l'imagination d'un minuscule pourcentage de personnes intelligentes déviantes. Les autres dépensent toute leur énergie à faire du sur-place.

Le monde est trop complexe pour nous. L'évolution n'a pas suivi. Grâce à l'imprimerie, les déviants intelligents sont parvenus à conserver la trace de leur génie sur le papier et à le communiquer sans avoir à le transmettre par les gènes. L'évolution a été court-circuitée. Nous avons reçu la connaissance et la technologie avant l'intelligence.

Notre planète est peuplée de près de six milliards de cornichons qui vivent dans une civilisation conçue par quelques milliers de déviants fabuleusement intelligents.

Exemple véridique

Lorsque Kodak a lancé le « Weekender », son fameux appareil jetable, des clients ont appelé le service technique pour demander s'il était possible de s'en servir en dehors des weekend.

Le reste de ce livre développe la théorie précitée selon laquelle nous sommes tous des idiots. Je suis sûr qu'il existe d'autres explications plausibles quant à l'apparente absurdité du monde du travail, mais aucune ne me vient à l'esprit pour l'instant. Si cela se produisait, j'écrirais un autre livre. De toute façon, je vous promets de ne pas cesser de chercher la réponse avant que vous n'ayez plus d'argent.

1

LE PRINCIPE DE DILBERT*

Mes dessins mettent souvent en scène le « mauvais patron ». L'inspiration vient rarement à me manquer. Je reçois au moins deux cents témoignages par jour sur ma messagerie, la plupart émanant de personnes se plaignant de la bêtise de leur direction. Voici mes préférés, tous véridiques selon leur auteur :

- Un directeur adjoint insiste pour que le nouveau produit de la société, qui fonctionne à piles, soit pourvu d'un voyant indiquant que la machine est éteinte.
- Un employé suggère de déterminer les priorités de la société afin de savoir comment gérer au mieux ses ressources limitées. Réaction du directeur : « Pourquoi ne pas systématiquement concentrer nos ressources ? »
- Un directeur veut trouver et éliminer plus rapidement les défauts dans ses logiciels. Il propose un programme de motivation : 100 F par défaut localisé par le personnel du service de contrôle Qualité et 100 F par défaut éliminé par les programmeurs. (Ceux-là même qui sont à

* Cet article est paru pour la première fois dans le Wall Street Journal du 22 mai 1995. C'est à la suite de l'énorme succès qu'il a rencontré que le présent ouvrage a vu le jour.

l'origine des défauts.) Résultat : un trafic clandestin se développe instantanément. Le programme est soumis à révision à la fin de la première semaine parce qu'on s'aperçoit que l'un des employés a réussi à empocher 8 500 F.

Ces histoires m'ont conduit à mener ma première enquête annuelle « Dilbert » afin de découvrir les pratiques managériales les plus pesantes pour les salariés. Le choix portait sur les sujets habituels : qualité, autonomie, reengineering, etc. Néanmoins, le point qui a remporté le plus de suffrages lors de cette étude éminemment scientifique était : « Idiots promus à un poste de direction ».

Là, j'ai eu l'impression que les choses avaient légèrement changé par rapport à l'ancien concept selon lequel les salariés capables étaient assurés d'une promotion tant qu'ils n'avaient pas atteint leur niveau d'incompétence ; c'est ce qu'on appelait le « principe de Peter ». Il semblerait que désormais les incompétents soient promus directement à la direction sans avoir à passer par la case où l'on attend d'eux qu'ils soient temporairement compétents.

Lorsque j'ai fait mon entrée dans la vie professionnelle, en 1979, le principe de Peter décrivait assez bien l'encadrement. Maintenant je suis sûr que tout le monde préférerait revenir à cette époque dorée où tout patron avait été bon au moins une fois en quelque chose.

Je me sens tout nostalgique rien que d'y penser. A l'époque, chacun espérait être promu à un rang dépassant son niveau de compétence. N'importe quel salarié pouvait s'essayer un jour à mener personnellement la société à vau-l'eau tout en raflant d'énormes primes et autres droits préférentiels de souscription. C'était l'époque où l'inflation permettait à chacun d'obtenir une augmentation annuelle, où on admettait librement que le client n'avait aucune importance. Bref, c'était la belle époque.

Nous n'apprécions pas notre bonheur à sa juste valeur. Même s'il était alors largement sous-estimé, le principe de Peter nous valait d'avoir un patron qui comprenait notre métier. Certes, il prenait constamment de mauvaises décisions, mais après tout, il n'était pas particulièrement doué pour la gestion. En tout cas au moins, c'était un homme de terrain qui prenait ses décisions en toute connaissance de cause.

Exemple

Patron : « Lorsque j'occupais votre poste, j'étais capable de faire entrer une tringle de six centimètres dans un tube métallique d'un seul geste. La prochaine fois que vous serez en retard, je ferai la même chose avec votre tête. »

Les tatillons trouvaient beaucoup à redire au principe de Peter, mais dans l'ensemble il fonctionnait. Il a toutefois récemment cédé la place au principe de Dilbert ; selon lequel les salariés les plus inefficaces sont systématiquement mutés aux postes où ils risquent le moins de faire de mal : l'encadrement.

Cela ne semble pas fonctionner aussi bien qu'on aurait pu l'espérer.

Sans doute devrait-on tirer les leçons que nous enseigne Mère Nature. Dans la nature, les élans les plus faibles se font chasser et tuer par les dingos, ce qui assure la survie des plus forts. C'est un système très dur, notamment pour les dingos qui doivent faire tout le trajet depuis l'Australie. Mais le processus naturel fonctionne ; tout le monde s'accorde à le dire, si ce n'est peut-être les dingos et l'élan en question... ainsi que le personnel de bord des compagnies aériennes mises à contribution.

Il n'en demeure pas moins qu'on se porterait mieux si les dirigeants les moins compétents se faisaient dévorer par des dingos au lieu de rédiger des notes de service.

Il semble qu'on ait renversé les règles de la nature, en identifiant les gens les moins compétents et en assurant leur promotion systématique. En général, l'entreprise justifie la promotion des idiots (autrement dit le principe de Dilbert) par quelque chose comme « C'est vrai, il ne sait pas programmer, il ne sait pas lire un bilan et il n'a aucune compétence commerciale. Mais il a de très beaux cheveux... ».

Si la nature se mettait à s'organiser sur le modèle d'une entreprise moderne, on finirait par voir, par exemple, une bande de gorilles des montagnes se laisser commander par un écureuil lambda. Naturellement, ce ne serait pas l'écureuil le plus compétent ; ce serait l'écureuil dont personne ne voudrait.

Je vois déjà les autres écureuils réunis autour d'une vieille souche dire des choses comme « Si je l'entends encore une fois dire qu'il aime les noisettes, je le tue ». Surprenant cette conversation, les gorilles surgissent de la brume pour offrir une promotion à l'écureuil impopulaire. Et en guise de punition, les autres écureuils sont assignés au service Qualité.

Au cas où vous vous demanderiez si vous correspondez à la description du cadre selon Dilbert, voici un petit test :

1. Croyez-vous que tout ce que vous ne comprenez pas est forcément facile ?
2. Éprouvez-vous le besoin d'expliquer avec force détails pourquoi le « bénéfice » résulte de la différence entre les recettes et les dépenses ?
3. Pensez-vous que vos salariés devraient programmer les enterrements durant leurs congés ?

4. Le paragraphe suivant vous semble-t-il une forme de communication ou du simple charabia ?
   « L'équipe d'encadrement des services de l'entreprise va renforcer la société afin de maintenir le cap sur le modèle de l'entreprise qui fait face au marché. A cette fin, nous avons décidé de consolider la gestion de l'objet des services commerciaux par une équipe horizontale. »
5. Vous lance-t-on un regard méfiant chaque fois que vous vous répétez, juste un peu plus fort et plus lentement ?

Maintenant, attribuez-vous un point par question à laquelle vous avez répondu par la lettre B. Si votre score dépasse zéro, félicitations ; votre avenir vous réserve quelques droits préférentiels de souscription.

(Le paragraphe de la question 4 est tiré d'une vraie note de service).

Le principe de Dilbert en images

JE VOUDRAIS QUE VOUS M'AIDIEZ À AUGMENTER LA PUISSANCE DE L'ORDINATEUR DANS MON BUREAU.

L'ORDINATEUR DE VOTRE BUREAU N'EST QU'UNE CARTE FICTIVE FOURNIE AVEC LE MOBILIER.

ALORS ÇA VEUT DIRE QU'IL FAUT QUE JE CHANGE LA CARTE MÈRE ?

NON, QU'IL FAUT CHANGER DE BUREAU.

S. Adams E-Mail: SCOTTADAMS@AOL.COM

4-27

JE DOIS PROMOUVOIR L'UN DE VOUS AU POSTE DE DIRECTEUR RÉGIONAL.

DILBERT, NOUS NE POUVONS PAS NOUS PASSER DE VOS CONNAISSANCES TECHNIQUES.

MÊME CHOSE POUR HÉLÈNE. VOUS NE POUVEZ BÉNÉFICIER DE CETTE PROMOTION.

LA SEULE OPTION LOGIQUE RESTE DE PROMOUVOIR PAUL ÉTANT DONNÉ QU'IL NE POSSÈDE AUCUN SAVOIR PARTICULIER.

S. Adams E-Mail: SCOTTADAMS@AOL.COM

PAUL ???! DIRECTEUR ???! IL NE SAIT MÊME PAS QUEL JOUR ON EST !!

11-13

ILS SONT JUSTE DE MAUVAISE HUMEUR PARCE QUE C'EST LUNDI.

ON EST MARDI.

TYPES DE PATRON

RETROUVEZ VOTRE PROPRE PATRON

S. Adams E-Mail: SCOTTADAMS@AOL.COM

PRENEUR D'OTAGES : VOUS COINCE DANS VOTRE BUREAU POUR VOUS ASSOMMER.

BLA BLA BLA

OH !!!

IMPOSTEUR : HOCHE VIVEMENT LA TÊTE POUR STIMULER SA COMPRÉHENSION.

ENSUITE NOUS METTRONS NOS ADRESSES IP EN SOUS-RÉSEAU.

MENTEUR PAR MOTIVATION : N'A AUCUNE IDÉE DE CE QUE VOUS FAITES MAIS VOUS ASSURE QUE VOUS ÊTES LE MEILLEUR

PERSONNE NE PEUT FAIRE CE QUE VOUS FAITES !

SAUF UN CHAMPIGNON.

SURPROMU : TENTE DE MASQUER SON INCOMPÉTENCE DERRIÈRE UNE POMPEUSE COMMUNICATION.

VÉRIFIONS LA QUALITÉ DE NOTRE PARADIGME AFIN DE NOUS ÉVITER UNE SURINONDATION DE DONNÉES.

FOUINE : S'ATTRIBUE LES MÉRITES DE VOS EFFORTS.

VOICI UNE PRIME POUR AVOIR SI BRILLAMMENT FORCÉ VOTRE ÉQUIPE À TRAVAILLER 80 HEURES PAR SEMAINE.

ÇA N'A PAS ÉTÉ FACILE !

2-19

MOÏSE : ATTEND TOUJOURS UN SIGNE PRÉCIS D'EN-HAUT.

NE FAITES RIEN D'IMPORTANT POUR L'INSTANT.

COMME D'HABITUDE.

PATRON PARFAIT : MEURT DE MORT NATURELLE UN JEUDI APRÈS-MIDI

QU'EST-CE QU'ON FAIT ?

WEEK-END DE TROIS JOURS !

S. Adams

JE ME DEMANDE SI JE NE DEVRAIS PAS CRIER QUAND JE PARLE, COMME ÇA LE MOUVEMENT DE MES LÈVRES AURAIT L'AIR MIEUX SYNCHRONISÉ AVEC CE QUE JE DIS.

9-10

2

L'HUMILIATION

Il peut être dangereux que les salariés aient le moral. Certes un employé heureux travaille davantage sans demander d'augmentation. Mais s'il est trop heureux, ses endorphines s'agitent, son ego se développe et bientôt le voilà qui se lamente que son salaire l'obligera à passer sa retraite dans une poubelle.

Pour obtenir une bonne productivité de la part de ses salariés, le meilleur équilibre se résumerait ainsi : heureux, mais sans trop d'amour-propre.

Le test suivant vous permettra d'évaluer votre degré de bonheur en tant qu'employé. Si vous riez tout haut à l'un des « bons mots de bureau » ci-après, vous êtes juste heureux comme il faut pour être productif.

Test de productivité du bonheur

Voici plusieurs mots d'esprit comme il en circule quotidiennement dans les bureaux. Combien en trouvez-vous d'irrésistibles ?

1. « Tu travailles dur ou tu fais juste semblant ? »
2. « Tiens bien le mur, on ne sait jamais ! »
3. « Tu as bien changé ! » (à quelqu'un qui occupe le bureau d'un autre)
4. « Ce n'est pas mon jour de surveiller Robert. »
5. « Pas mal pour un mercredi ! »

Si l'une de ces cinq remarques vous a fait rire, vous éprouvez le même bien-être que Dormeur, un des sept nains, ce qui est optimal pour votre productivité.

Mais si ce test vous a subitement fait penser à un collègue que vous aimeriez assommer avec votre téléphone, vous avez trop d'amour-propre pour être productif.

SOLUTION : L'HUMILIATION

Au fil du temps, les entreprises ont élaboré toute une panoplie de techniques pour cantonner l'amour-propre des salariés dans la « zone productive » sans pour autant sacrifier leur bien-être. Dans ce chapitre, nous aborderons donc les principales techniques d'humiliation.

- Les bureaux paysagés
- L'attribution temporaire d'un bureau
- Le mobilier
- La tenue réglementaire
- Les programmes de récompense
- Le mépris du travail du salarié
- L'attente.

PRINCIPE DES BUREAUX PAYSAGÉS

Les bureaux cloisonnés, parfois nommés « espaces de travail », servent à rappeler en permanence aux salariés le peu de valeur qu'ils représentent aux yeux de l'entreprise.

Je n'ai jamais vu un catalogue de fabricant de bureaux paysagés, mais voilà comment je l'imagine :

Le bureau paysagé série 6000 ™

Pensez au bureau paysagé série 6000™ comme à un style de vie, pas simplement comme à une grosse boîte dans laquelle vous pouvez rassembler toutes vos merdes !
La conception du bureau paysagé série 6000 ™ nous a été inspirée par Mère Nature. Chaque unité fait indubitablement penser à l'un des quatre endroits les plus enchanteurs de la Terre :

L'ENCLOS À VEAUX
Imaginez le sentiment de sécurité qu'éprouvent ces jeunes bovins chanceux, confortablement installés dans leur unité de vie individuelle, et sans jamais la moindre préoccupation en tête. « Vivez avec le présent ! », voilà le message.

LA BOÎTE EN CARTON
Cette architecture accueille depuis des siècles les effets personnels des gens qui réussissent !

LE PARC POUR ENFANT
Rappelez-vous l'exubérance de vos jeunes années et retrouvez le frisson de la vie en captivité imposée par d'étranges personnes qui vous parlent baragouin et vous punissent pour des raisons qui vous échappent !

LA CELLULE DE PRISON
Pour vous, nous avons capturé le sentiment d'insouciance qu'éprouve un détenu condamné à une peine de vingt ans de réclusion. Goûtez la sécurité autrefois exclusivement réservée aux bénéficiaires du système d'incarcération !

Et visez un peu ces caractéristiques !

- Toit ouvert permettant qu'aucun bruit environnant ne vous échappe
- Taille réduite permettant de jouir des odeurs de vos collègues
- Aucune fenêtre gênante
- Disponible en coloris gris souris ou maronnasse
- Cloisons amovibles – Amusez-vous à modifier votre espace à volonté
- Portemanteau (uniquement fourni dans la série Amiral).

SI VOUS NE TRAVAILLEZ PAS DAVANTAGE, JE VOUS METS AU PLACARD.

AH BON, PARCE QUE JE N'Y ÉTAIS PAS DÉJÀ ?

IL EST PLUS GRAND QUE MON BUREAU ?
VRAIMENT CES GENS SONT IMPOSSIBLES.

VOICI VOTRE NOUVEAU BUREAU : LE « CUBORG 2000 ».

C'EST UN ESPACE DE TRAVAIL AUTONOME DOTÉ D'ÉQUIPEMENTS DE VIE !

GRÂCE À CES TUBES QUI SE BRANCHENT SUR DIVERSES PARTIES DU CORPS, VOUS N'AVEZ PLUS À VOUS DÉPLACER.

« DIVERSES PARTIES »

DISONS SIMPLEMENT QU'IL VAUT MIEUX NE PAS CONFONDRE CES DEUX TUBES.

NOUS CONTRÔLERONS VOS SIGNAUX VITAUX DEPUIS LE CENTRAL.
À L'INFIRMERIE ?

NON, AU SERVICE DES RESSOURCES HUMAINES, AU CAS OÙ IL FAILLE EMBAUCHER QUELQU'UN D'URGENCE.

IL EST ÉVOLUTIF ?
OUI, LE CUBORG 3000 SERA SANS DOUTE POURVU D'AÉRATIONS.

AVEC LA RÉDUCTION DES EFFECTIFS, IL Y A PLEIN DE BUREAUX VIDES.

J'AI FAIT VENIR L'ENTREPRISE DOGBERT POUR CONVERTIR UNE PARTIE DU PLATEAU EN CELLULES DE PRISON QUE NOUS LOUERONS À L'ÉTAT.

SACRÉ BOULOT, NON ?
BOF, UN COUP DE PEINTURE ET C'EST MARRE.

CE N'EST PAS JUSTE D'INSTALLER DES DÉTENUS DANS NOS BUREAUX VIDES.

NE SOIS PAS SI SECTAIRE. CES GENS N'ONT COMMIS QU'UNE PETITE ERREUR, À PART ÇA ILS NE SONT PAS DIFFÉRENTS DES EMPLOYÉS.

IL Y A QUAND MÊME QUELQUES PETITES DIFFÉRENCES !
C'EST VRAI, ILS N'ONT À S'INQUIÉTER NI DU GÎTE NI DU COUVERT.

NOUS AVONS FAIT POSER DES DISPOSITIFS DE RÉGLAGE EN TEMPS RÉEL DANS LES PAROIS DES BUREAUX. LES CAPTEURS CONTRÔLENT VOTRE TRAVAIL ET RECTIFIENT LES DIMENSIONS DE VOTRE BUREAU EN FONCTION DE VOS MÉRITES.

© 1995 United Feature Syndicate, Inc. (NYC)

PRINCIPE DE L'ATTRIBUTION TEMPORAIRE D'UN BUREAU

Le seul inconvénient des bureaux paysagés est que certains employés finissent par se sentir chez eux dans leur petit bout de territoire. Très vite, le sentiment de propriété s'installe, ensuite l'amour-propre se développe et hop, finie la productivité.

Mais grâce au nouveau concept des « bureaux nomades », on peut tout à fait éliminer ce risque. Le système consiste à attribuer un bureau aux salariés au fur et à mesure de leur arrivée le matin au travail. Personne n'occupe un espace de travail permanent, par conséquent personne ne s'installe dans un sentiment de confort improductif.

Autre avantage : l'occupation temporaire d'un bureau supprime toute preuve matérielle de contacts entre le salarié et son entreprise. Cela évite bien des problèmes en cas de compression de personnel car l'employé n'a même pas besoin de vider son bureau. Grâce à ce système, tous les salariés ont constamment « un pied dehors ».

L'attribution temporaire d'un bureau fait passer un message important au salarié : « Votre emploi est temporaire. Epargnez-nous vos affreuses photos de famille, gardez-les plutôt dans le coffre de votre voiture. »

LE MOBILIER

L'importance de chacun est fonction de son mobilier. Du moins, lorsqu'on a atteint les sommets de la dignité. Souvent, on est moins important que son mobilier. A y bien réfléchir, le mobilier subsiste après votre licenciement, profitablement réemployé par l'entreprise qui n'a plus besoin de vous.

Rien de surprenant à ce que certains investissent une bonne part de leur ego dans leur mobilier de bureau. Selon votre position dans l'entreprise, votre mobilier émet l'un des deux messages suivants :

« Oubliez l'objet sans valeur assis sur cette chaise. »

Ou...

« Vénérez le Seigneur !
Agenouillez-vous devant l'autel en acajou ! »

Si on a le choix, mieux vaut opter pour la seconde proposition. Malheureusement, le mobilier impressionnant est réservé aux échelons les plus élevés. D'un point de vue statistique, le lecteur de ce paragraphe a peu de chances de faire partie des cadres supérieurs. Inutile de poursuivre. Je vais donc changer de sujet.

A supposer que vous n'êtes pas cadre supérieur, vous avez peut-être la chance de disposer d'un de ces immenses plateaux qui occupent toute la largeur de votre espace cloisonné, ce qui évite de garder en permanence le téléphone sur ses genoux. Parlons de « bureau » pour les besoins de l'argumentation. Cet aménagement se voit complété à la perfection par une minuscule chaise qui soutient votre postérieur soixante-dix heures par semaine.

Si vous êtes secrétaire, votre chaise est sans doute dépourvue d'accoudoirs. Très bien ; vous n'avez pas été embauchée pour vous reposer les bras. Vous devez tout mettre en œuvre pour faire barrage pour votre patron. Voilà ce pourquoi on vous paie, enfin.

Mais si vous n'êtes pas secrétaire, vous jouissez peut-être du luxe d'accoudoirs. Ces derniers sont essentiels pour trouver l'équilibre lorsqu'on envisage un petit somme derrière sa cloison. Au cours de ma carrière à la Pacific Bell, j'ai passé d'inoubliables heures de bonheur à dormir à poings fermés dans mon bureau, grâce aux accoudoirs. Installé dos au couloir lorsque je regardais l'écran de mon ordinateur, je pouvais sortir un dossier, poser mes bras sur les accoudoirs, fermer les yeux et me laisser aller dans les bras de Morphée tout en ayant l'air très appliqué. Parfois le téléphone sonnait mais j'ai appris à ne plus l'entendre (quelle fabuleuse machine que le cerveau !).

Bien que parfaitement reposé, parfois même « aussi heureux que Dormeur », je n'ai jamais acquis suffisamment d'amour-propre chez Pacific Bell pour devenir sûr de moi. Mon mobilier faisait son boulot, il m'apportait le bon degré d'humilité pour maintenir ma productivité à son comble.

Messages électroniques du front

Comme vous pouvez le constater dans les exemples suivants, l'argent ne manque jamais quand il s'agit de maintenir les salariés à leur place.

De : (respect de l'anonymat)
Pour : scottadams@aol.com

Scott,

Depuis notre reengineering, on a moins de cadres que de fenêtres ! Ça pose un gros problème, mais on a trouvé une solution. On a posé des cloisons d'1,50 mètre de haut devant les fenêtres pour que les simples employés puissent s'asseoir là sans remettre en cause l'ordre hiérarchique.

De : (respect de l'anonymat)
Pour : scottadams@aol.com

Scott,

J'ai pensé que ceci vous plairait.

Je connais quelqu'un qui travaille dans une agence gouvernementale – suite à la récente réorganisation du service d'ingénierie, un subalterne s'est vu installé dans l'un des coins de l'espace de travail. Comme ce coin avait été cloisonné l'an dernier pour accueillir un cadre, on a fait venir un entrepreneur pour retirer les murs ; la place allait être occupée par un simple employé !

De : (respect de l'anonymat)
Pour : scottadams@aol.com

Scott,

Récemment, notre bureau a déménagé un peu plus bas dans la rue. A peu près au même moment, j'ai eu la chance d'être promu à un nouveau poste.

Comme dans toutes les grandes entreprises, bureaux paysagés et vrais bureaux sont alloués est fonction de l'échelon (par exemple, si vous êtes à l'échelon X, on vous attribue un bureau cloisonné de 5,90 m², tandis qu'à l'échelon Y, vous bénéficiez d'un vrai bureau de 6,30 m²). Finalement, au bout de quelques années de bons et loyaux services, mon échelon m'a permis d'obtenir un vrai bureau.

Bon, j'étais très content mais mon échelon ne me donnait pas accès au joli mobilier en bois. Pour en arriver là, il me reste encore quelques échelons à grimper. Alors voilà, dans ses efforts pour réutiliser les cloisons de nos anciens locaux, la branche immobilière de mon entreprise a décidé d'installer un bureau cloisonné dans mon vrai bureau. Imaginez le ridicule de la situation.

Mais le plus drôle, c'est que le bureau que j'occupe avait une fenêtre ; maintenant elle est complètement occultée par l'une des cloisons.

ET COMME JE... VOUS SAVEZ... AVEC MON AUTONOMIE, JE PENSAIS PEUT-ÊTRE POUVOIR DEMANDER UNE « CHAISE POUR DIRECTEUR » EN ATTENDANT.

JE SOMME TOUS LES DÉMONS ET LES TROLLS DE L'ENFER DE VENIR TE PUNIR SUR-LE-CHAMP !!!

PERMISSION REFUSÉE ! LES PLANTES ATTIRENT LES PARASITES. SI MOI JE NE VOIS PAS QUE C'EST DU PLASTIQUE, COMMENT LES PARASITES LE VERRONT !

LA TENUE RÉGLEMENTAIRE

Quoi de plus adorable que ces petits singes, vêtus d'une minuscule veste et d'un chapeau, qui accompagnent les joueurs d'orgue de Barbarie ?

Ce serait également l'uniforme officiel de votre entreprise s'il n'était pas considéré justement comme un « uniforme » et s'il y avait un budget pour ce genre de choses.

Les entreprises ont découvert une méthode peu coûteuse pour faire en sorte que les gens s'habillent d'une façon aussi humiliante que le petit singe, sans avoir à faire la dépense d'uniformes.

Le secret consiste à exiger un style de vêtements convenables, au même symbolisme que la tenue du singe, tout en acceptant un zeste de variété :

VÊTEMENTS	SYMBOLISME
Cravate	Laisse
Collants	Appareil orthopédique, détention
Veste de costume	Pingouin, incapacité de voler
Talons aiguille	Masochisme

JE NE COMPRENDS PAS VOTRE NOUVEAU CODE VESTIMENTAIRE, M. CATBERT.
VOUS ÊTES PEUT-ÊTRE FOLLE.

C'EST SIMPLE. LE VENDREDI, C'EST « DÉCONTRACTÉ » MAIS VOUS NE POUVEZ PAS PORTER DE JEANS PARCE QUE LES JEANS SONT JOLIS ET CONFORTABLES ET PUIS VOUS EN AVEZ DÉJÀ PLUSIEURS.

C'EST ENCORE UNE MANŒUVRE SADIQUE DES RESSOURCES HUMAINES POUR NOUS FAIRE DÉMISSIONNER !!
MON BONJOUR AUX DISGRACIEUSES MARQUES DE SLIP.

EUH, ON NE PEUT ÊTRE QUE VENDREDI, HÉLÈNE PORTE SON UNIQUE PANTALON OCRE.

J'ADORE LE LOOK « BOULOT DÉCONTRACTÉ ». ÇA MÊLE À LA FOIS LE LAID ET LE MANQUE DE PROFESSION-NALISME SANS QU'AUCUN DES DEUX N'EN PÂTISSE.

JE ME MOQUE PARFAITEMENT DE CE QU'UN INGÉNIEUR PENSE DE LA MODE !!!
TIENS, ON EST JUMEAUX !

J'AI PENSÉ QU'IL SERAIT UTILE DE JOINDRE DES DIRECTIVES DÉTAILLÉES À NOTRE NOUVEAU CODE VESTIMENTAIRE.

SONT INTERDITS : LES SHORTS, LES DÉBARDEURS, LES TEE-SHIRTS, LES CHEMISES AVEC DES SLOGANS, LES JEANS, LES BASKETS ET LES SANDALES.

VOILÀ QUI REMONTE LE MORAL.
LA LISTE DES SOUS-VÊTEMENTS ACCEPTÉS FIGURE EN ANNEXE « A »

JE VOUS INSTALLE DANS UN BUREAU DE L'AILE SUD.
POURQUOI ?

EUH... CE SERA PLUS EFFICACE SI MON GROUPE EST REUNI AU MÊME ENDROIT.

PAS POUR MOI. TOUTE MON ÉQUIPE DE PROJET SE TROUVE DANS CETTE AILE-CI.

ÇA AMÉLIORERA LA COMMUNICATION AU SEIN DE NOTRE GROUPE.

JE N'AI PAS BESOIN DE COMMUNIQUER AVEC MON GROUPE. J'AI SIMPLEMENT BESOIN DE TRAVAILLER AVEC MON ÉQUIPE DE PROJET.

JE PARIE QU'UN AUTRE CADRE CONVOITE CE BUREAU DANS L'AILE SUD. JE DOIS ÊTRE UN SIMPLE PION DANS SON PETIT JEU.

INSTALLEZ-VOUS DEMAIN.
AU FAIT, LE CODE VESTIMENTAIRE A CHANGÉ.

VOUS ÊTES DANS MON BUREAU.
ON N'A LE DROIT DE CHANGER DE BUREAU QU'EN DIAGONALE.

LES PROGRAMMES DE RÉCOMPENSE

Ces initiatives font passer un important message. Pas seulement aux « gagneurs », mais à tous les membres du groupe. Pour être plus précis, le message dit : « Voilà encore quelqu'un qui ne sera victime des réductions d'effectif qu'après vous. »

Mais ce n'est pas là leur unique avantage. Ils permettent au salarié d'identifier la caste sociale à laquelle il appartient.

PROGRAMMES DE RÉCOMPENSE	CASTES
Employé du mois	Caste des « chapeaux en papier »
Diplôme	Caste des « heures supplémentaires non payées »
Prime	Caste des « champignons de bureau »
Aucun	Caste des « cadres supérieurs »

Ces programmes ne concernent jamais les plus hauts niveaux de l'entreprise. Ils sont uniquement destinés à motiver les simples employés.

Ces derniers savent que s'ils travaillent dur, ils ont une chance de faire un jour partie de ces privilégiés qui échappent aux programmes de « récompense ».

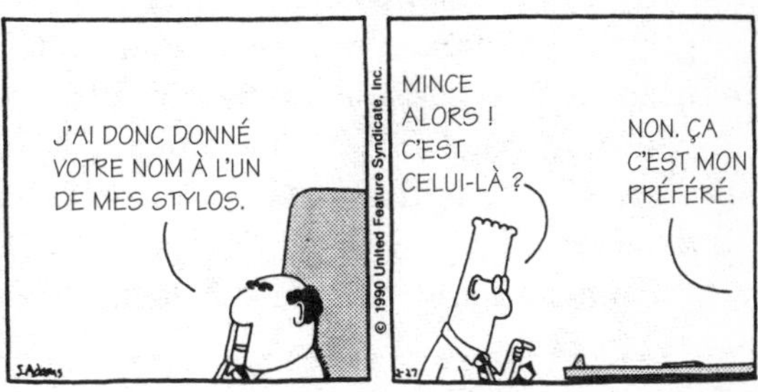

Il m'est arrivé de gagner un « prix de reconnaissance » à la Pacific Bell. Au moment où je me suis avancé pour recevoir le prix, j'ai compris que le cadre chargé du programme ne savait même pas ce que je faisais. Il a vivement réfléchi et inventé un projet totalement imaginaire pour le public présent, me remerciant d'avoir si largement contribué à sa réussite.

Je me suis alors senti beaucoup plus « heureux ». Mais profiter de l'occasion pour demander une augmentation ne m'a pas effleuré : mon amour-propre ne s'en est pas senti suffisamment grandi. Côté moral, l'entreprise avait réussi son coup. J'étais si motivé que je me suis sérieusement mis à envisager de travailler au lieu de faire la sieste l'après-midi.

De la messagerie électronique : le plus humiliant des programmes de récompense de tous les temps

De : (respect de l'anonymat)
Pour : scottadams@aol.com

Scott,
Au lendemain d'un récent séminaire pour cadres supérieurs, on nous a annoncé qu'un employé serait désormais sélectionné chaque mois pour recevoir le prix du « joyeux lapin » en récompense de son excellent travail. Un autre employé, déguisé en lapin (je jure que je n'invente rien) viendrait apporter des ballons, une tasse à café et un diplôme à l'heureux élu dans son bureau. Cette initiative était censée nous encourager à travailler davantage. Le projet est tombé à l'eau (Dieu merci) parce que personne n'a accepté de faire le lapin.

LE MÉPRIS DU TRAVAIL DU SALARIÉ

Les employés aiment sentir que leur contribution est appréciée. Par des directeurs qui tentent, pour cette raison, d'éviter de le manifester.

Il existe de nombreuses manières de signifier à un salarié que son travail n'a guère de valeur. Voici certaines des plus cruelles, ce sont d'ailleurs celles qui marchent le mieux :

- Feuilleter un magazine pendant que l'employé expose son opinion
- Demander une information « urgente » puis la laisser traîner sur son bureau sans y toucher pendant des semaines

- Demander à sa secrétaire de rappeler les gens à sa place
- Détourner le dossier d'un employé de sa fonction initiale, comme dans l'exemple suivant :

L'ATTENTE

L'une des méthodes d'humiliation les plus efficaces auxquelles les patrons ont recours consiste à ignorer tout subalterne se trouvant à l'intérieur ou dans les environs de leur bureau tant qu'ils n'ont pas terminé des tâches manifestement sans importance. Le salarié a alors la parfaite impression de faire partie des meubles. C'est un peu comme quand on se change devant un animal familier ; cela n'a absolument aucune importance que l'animal vous regarde.

Cette méthode peut être affinée grâce au simple ajustement des activités auxquelles on se livre pendant que l'employé attend.

ACTIVITÉS	**DEGRÉS D'HUMILIATION**
Prise des appels téléphoniques	Moyen
Lecture d'autre chose	Fort
Utilisation d'un fil dentaire	Très élevé
Apprentissage d'une langue étrangère	Très très élevé

3

LA COMMUNICATION D'ENTREPRISE

Tous les professeurs des écoles de commerce vous diront que l'objectif de la communication d'entreprise réside dans la transmission claire d'une information. C'est pourquoi les professeurs réussissent rarement dans les affaires.

Le véritable objectif de la communication d'entreprise est d'avancer dans sa carrière. Cet objectif s'oppose généralement à la notion de « transmission claire d'une information ».

Les patrons qui réussissent savent que le meilleur moyen de communication est celui qui fait passer le message « Je mérite une promotion » sans involontairement fournir d'autre information. Parfois, les messages clairs peuvent vous mettre dans une situation très embarrassante. Sachez que vous ne pouvez pas vous tromper si vous ne prenez pas position. Ne vous laissez pas prendre au piège.

LE PROGRAMME DE MISSION

Si vos salariés réalisent des produits de mauvaise qualité qu'aucune personne sensée n'achèterait, vous pouvez résoudre le problème en organisant des réunions sur votre programme de mission.

Le programme de mission se définit comme suit : « une longue phrase maladroite démontrant l'incapacité de la direction à clarifier sa pensée ». Toutes les bonnes entreprises en ont un.

Celles qui n'en ont pas ont souvent la fausse impression que l'objectif d'une entreprise est de semer la discorde entre ses différents services, d'offrir des produits de mauvaise qualité et de perdre lentement sa clientèle. Ce malentendu se rattrape aisément grâce à un simple programme de mission comme celui-ci :

Mission

> « Nous produirons la meilleure qualité du marché en mettant en œuvre un nouveau modèle de qualité totale grâce à une équipe parfaitement autonome, jusqu'à ce nous ayons atteint la position de leader dans notre secteur. »

Mais cela n'est pas encore totalement suffisant. Le programme de mission de l'entreprise ne prend tout son sens que lorsque chaque service a rédigé son propre programme afin de soutenir la mission globale de l'entreprise. Ceci est parfois un peu plus difficile car les différents services ont en général un éventail de fonctions distinctes. Il serait tellement dommage d'en omettre une. Vous risquez donc de vous retrouver avec des programmes de ce genre :

Mission

> « Développer des produits de classe internationale, procéder à une analyse financière et réunir les services dotés d'équipes parfaitement autonomes sous la bannière de la qualité totale jusqu'à ce que nous ayons atteint la position de leader dans notre secteur. »

Individuellement, les programmes de mission de l'entreprise et du service ne valent rien. Ensemble, en revanche, ils peuvent tirer les employés vers les sommets.

LA VISION

Si pour une raison ou pour une autre les programmes de mission de votre entreprise n'entraînent pas une hausse radicale de rentabilité, il vous faut formuler une nouvelle vision. Tout à fait à l'opposé de cette carte d'état-major que représente le programme de mission, l'énoncé d'une vision offre un guide des « hautes sphères » à l'entreprise. Plus elles sont hautes, mieux c'est car votre vision doit durer des années.

La première chose à faire quand on veut formuler une vision est d'enfermer les cadres dans une pièce et les laisser débattre de la signification de l'expression « formulation d'une vision ». En quoi diffère-t-elle d'un « programme de mission », d'un « plan d'activité » ou des « objectifs » ? Ces questions ont toutes leur importance puisqu'au moindre faux pas, les salariés se mettront à œuvrer « pour la vision » au lieu d'œuvrer « pour la mission ». Et très vite il sera impossible de démêler tout cela.

Le débat sur la définition de la « vision » se terminera dès que les participants seront trop épuisés ou trop grincheux pour trouver du plaisir à se rabaisser les uns les autres. Toutes les bonnes formulations de vision émanent de groupes de gens à la vessie gonflée qui ne pensent plus qu'à ça.

Vous savez que vous tenez une excellente formulation de vision lorsqu'elle incite les employés à penser qu'ils participent à quelque chose de beaucoup plus important que leurs pathétiques boulots mal payés, lorsqu'ils se sentent faire partie d'un programme beaucoup plus vaste, de quelque chose de l'ordre d'un phénomène de société.

Voici quelques exemples de formulations de vision qui fonctionnent :

Exemple n°1

« Nous possèderons toutes les richesses du monde tandis que les autres mourront d'envie au fond du caniveau. »

Exemple n°2

« Nous allons nous transformer en énergie pure pour vivre dans une nouvelle dimension temporelle, BOUOUAHAHAHAHA !!! »

Exemple n°3

« Un ordinateur dans chaque bureau. » *

CHOISIR LE NOM DE SON GROUPE

L'un des défis les plus difficiles à relever en matière de communication d'entreprise consiste à trouver un nom à son service. Un nom qui donne l'impression qu'il s'agit d'un organe vital pour l'entreprise, sans pour autant lui attirer trop de travail. On peut y parvenir grâce à l'emploi de mots bien ronflants tels que « excellence », « technologie » ou « région ».

Le nom doit rester suffisamment vague pour que le groupe puisse légitimement s'attribuer le mérite de tout ce qui semble pouvoir se traduire par une réussite. Si le pdg développe subitement un intérêt pour le multimédia, n'hésitez pas à faire un saut dans son bureau et lancer : « Nous avons fait notre boulot. Maintenant, je pense que c'est au marketing de défendre le projet. » Ensuite, laissez les responsabilités à quelqu'un d'autre, mais conservez le budget (ou pour parler plus familièrement, « balancez le rat crevé dans le jardin du voisin »).

---

* C'est la vision actuelle de Microsoft.

Il vous sera peut-être nécessaire de changer le nom de votre groupe plusieurs fois par an, afin d'échapper aux mauvaises réputations. Heureusement, les mots grandiloquents et creux ne manquent pas. Selon votre domaine d'expertise, vous pouvez inventer de nouveaux noms en combinant au hasard les différents mots de la liste suivante :

Technologie

Information
Technologie
Développement
Application
Utilisateur
De pointe
Multimédia
Données
Services
Systèmes
Informatique
Télécommunications
Réseau
Recherche
Support

Marketing

Marché
Produit
Circuit
Développement
Communications
Evangéliste
Promotions

Vente

Consommateur
Client
Représentant
Service
Centre.

PARLER COMME UN MANAGER

Si vous voulez gravir les échelons, vous devez convaincre les autres de votre intelligence. Vous y parviendrez aisément en substituant habilement à la plupart des mots usuels un jargon incompréhensible.

Un manager ne dira par exemple jamais « J'ai mangé ma pomme de terre à la fourchette » mais plutôt « Pour traiter cette source d'amidon, il m'a fallu avoir recours à un outil à dents multiples ». Si ces deux phrases signifient à peu près la même chose, il est évident que la seconde émane d'une personne d'intelligence supérieure.

LES DÉCLARATIONS

Les déclarations faites par l'entreprise ont pour but de faire savoir qu'il est en train de se passer quelque chose. Quelque chose dont vous n'êtes pas suffisamment important pour être informé dans les moindres détails. Néanmoins, lorsqu'on est habile, on arrive parfois à lire entre les lignes et à comprendre leur véritable signification, comme dans l'exemple suivant :

LES ENTRETIENS DE MOTIVATION

Peut-être êtes-vous responsable d'une bande de subalternes sous-formés qui se servent d'outils inadéquats et se laissent submerger par la bureaucratie, ce qui menace la compétitivité de l'entreprise. Solution : un entretien de motivation. Réunissez votre équipe et donnez-lui « la rage au ventre » en usant de votre très particulier talent d'orateur.

Votre discours n'a pas vraiment besoin de contenir d'informations spécifiques ni utiles. Comme je l'ai déjà expliqué, l'information ne donne jamais rien de bon. Le but recherché consiste à attiser l'esprit de compétition entre les salariés. Pour cela, chacun sait qu'il est inutile de faire passer une quelconque information.

Voici quelques messages stimulants connus depuis des années pour galvaniser les troupes :

- « Cette année s'annonce particulièrement difficile. »

- « Franchement, je ne pense pas que notre projet obtienne un budget. »
- « N'espérez pas trop d'augmentation. Le travail est déjà une récompense en soi. »
- « Si nous ne réalisons pas plus de bénéfices l'an prochain, nous devrons licencier davantage. »
- « Nous n'envisageons aucune réorganisation. La vie continue comme avant. »

LES PRÉSENTATIONS

Tout au long de votre carrière, on vous demandera de faire de multiples présentations.

Ce type d'exercice a pour but d'expliquer que tout va bien au lieu de concentrer tous ses efforts à essayer d'atteindre ses objectifs.

DILBERT, PRÉPAREZ UNE PRÉSENTATION POUR LA RÉUNION AVEC LE GRAND PATRON.

SUR QUEL SUJET ?
IL PARAÎT QUE C'ÉTAIT UN CRACK EN GÉOMÉTRIE, ESSAYEZ D'Y FAIRE ALLUSION.

POUVEZ-VOUS TENIR UNE HEURE SUR LES DIFFÉRENTES FONCTIONS DU RECTANGLE ?
© 1991 United Feature Syndicate, Inc.

JE PRÉPARE UNE PRÉSENTATION POUR LA RÉUNION AVEC LE GRAND PATRON. APPAREMMENT, C'EST UN FAN DE GÉOMÉTRIE

« LE RECTANGLE OU LE PARALLÉLOGRAMME INCOMPRIS »

ÇA VA DÉCLENCHER DES POLÉMIQUES.
NOUS SOMMES POUR LA LIBERTÉ D'EXPRESSION.
© 1991 United Feature Syndicate, Inc.

SI TU VEUX UNE PROMOTION, DÉNIGRE TES COLLÈGUES POUR TE FAIRE VALOIR.
E-Mail: SCOTTADAMS@AOL.COM

DIS-DONC, LISA, ON DIRAIT QUE LES PETITS GÂTEAUX TE FONT DU PROFIT DEPUIS QUELQUE TEMPS.

HÉ-HÉ... LES RÉSULTATS NE DEVRAIENT PAS TARDER À SE FAIRE SENTIR.
© 1994 United Feature Syndicate, Inc.

VEUILLEZ EXCUSER LA QUALITÉ DU DESSIN SUR LE GRAPHIQUE SUIVANT.
E-Mail: SCOTTADAMS@AOL.COM

QU'EST-CE QUE C'EST ? ON DIRAIT UNE TÊTE DE VEAU ! HA HA HA ! C'EST POUR LE TEST DE LA TACHE D'ENCRE ?! HA HA HA !!

ET POUR CONCLURE, JE VOUS HAIS TOUS.
© 1993 United Feature Syndicate, Inc.

J'ESPÈRE QUE ÇA NE TE DÉRANGE PAS SI J'APPORTE MA COUETTE ET MON OREILLER À TA PRÉSENTATION.

LA DERNIÈRE FOIS, J'AI PERDU CONSCIENCE ET JE ME SUIS CASSÉ LE NEZ SUR LA TABLE.

OÙ SONT PASSÉES LES BONNES MANIÈRES ?
Z Z Z
Bonk
Bonk
Bonk
© 1991 United Feature Syndicate, Inc.

LA CO-RÉDACTION

Stephen King écrit des romans particulièrement angoissants. Shakespeare a écrit plusieurs pièces excellentes. Il est dommage que ces deux auteurs aient écrit chacun de leur côté.* S'ils avaient travaillé ensemble, qui sait quels sommets leur art aurait pu atteindre... C'est exactement la théorie sur laquelle repose la « co-rédaction ». D'une logique implacable, n'est-ce pas ?

Un millier de singes enfermés dans une pièce avec autant de machines à écrire et un peu de patience produiraient une véritable hécatombe. (Attention : mieux vaut nourrir les singes). La co-rédaction procède du même carnage, sauf que c'est moins « drôle ».

LA CO-RÉDACTION

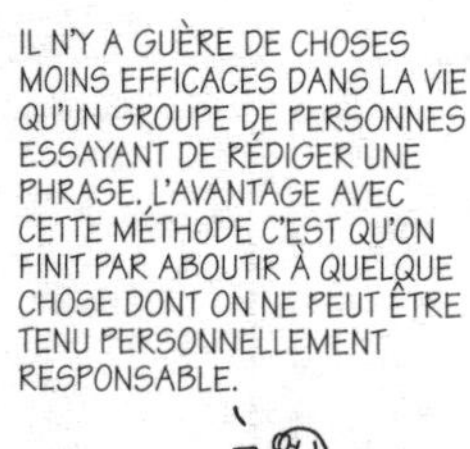

La co-rédaction a pour fonction essentielle de garantir que chaque phrase répond bien aux objectifs de chaque personne présente.

Cela devient parfois problématique lorsque tous les participants ont des objectifs différents. Pour minimiser l'impact de ces divergences,

* Selon certains érudits, Shakespeare aurait fait écrire ses pièces par d'autres. Il se serait contenté de récolter les honneurs en faisant des plaisanteries graveleuses sur sa braguette. Quoi qu'il en soit, il avait du cran.

mieux vaut se concentrer sur des objectifs qui conviennent à tous :

1. Ne faire passer absolument aucune information.
2. Se reporter à l'exemple n°1.

La meilleure chose qui puisse vous arriver est d'avoir à relire un dossier rédigé par un collègue. C'est l'occasion de piétiner à loisir l'ego de l'autre sans prendre soi-même aucun risque. Cela peut apporter beaucoup de satisfaction.

Rien que pour le plaisir, demandez à l'auteur d'apporter des modifications qui risquent d'inverser totalement le sens de ce qu'il a voulu dire. Il se retrouvera alors dans une position très inconfortable. Soit il lui faudra faire suivre le dossier, et risquer dans ce cas de recevoir d'autres conseils inutiles, soit il devra choisir d'ignorer vos « améliorations ».

S'il ne tient aucun compte de vos commentaires, vous serez parfaitement en droit de ridiculiser le produit fini et de nier toute participation. Vous aurez quand même donné l'impression d'avoir travaillé, sans pour autant avoir fourni aucun effort ni pris aucun risque. Et si par miracle, le dossier ridiculisé par vos soins remporte du succès, vous pourrez revendiquer votre part de mérite.

EXEMPLES DE COMMUNICATION D'ENTREPRISE CLAIRE

De : (respect de l'anonymat)
Pour : scottadams@aol.com

Scott,
Il y a quelques années, j'avais l'habitude de diffuser à mon personnel une note récapitulative en fin d'année dans laquelle je rappelais ce que nous venions d'accomplir, ce que nous espérions pour l'avenir, etc. Comme nous devions investir dans un nouvel équipement relativement coûteux, j'expliquais cette fois que si nous avions mené grand train durant l'année écoulée, il allait falloir mettre un frein à nos dépenses superflues, notamment en ce qui concernait les frais de location ; je ne voulais donc plus entendre parler de Mercedes.

Le lendemain de la diffusion de cette note, l'une des employées est venue me trouver dans mon bureau et m'a demandé, en larmes, ce que j'avais contre l'une de ces collègues, prénommée Mercedes. Apparemment ladite Mercedes, elle-même totalement effondrée, était en train de pleurer dans les toilettes pour dames. En effet, ni l'une ni l'autre ne comprenaient pourquoi je ne voulais « plus entendre parler de Mercedes ».

De : (respect de l'anonymat)
Pour : scottadams@aol.com

Scott,
Voici ce que mon patron avait mis dans mon planning de rendement pour 1995. (Véridique !). Je viens de l'apprendre.

> « Utiliser des procédures de clarification des problèmes.
> S'assurer que les personnes impliquées dans la procédure sont les bonnes.
> Agir ou se comporter avec un esprit d'équipe manifeste.
> Agir dans le meilleur intérêt de la réussite de l'équipe. »

Voici ce qui m'est venu à l'esprit.

A mon avis, mes idées sont encore meilleures.

« Rationalisation des procédures pour une optimisation des propensions.

Mise en œuvre de tous les dispositifs de délégation des pouvoirs.

Elimination des fruits du hasard prolifique.

Equilibrage managérial de la compilation des données avec la propriété des procédures. »

De : (respect de l'anonymat)
Pour : scottadams@aol.com

Scott,

Pourriez-vous, s'il vous plaît, m'aider à déchiffrer les instructions de mon chef d'équipe, la date butoir approche.

Je vous jure que ce n'est pas une plaisanterie...

(1) Validez les activités de soutien et les lacunes restantes

(2) Identifiez toute nouvelle lacune

(3) Déterminez l'évaluation du niveau de fin d'année.

Pour la détermination du stade d'acquisition, veuillez utiliser les critères suivants :

(1) Le stade d'acquisition définit sept [sigle].

Les clarifications figurant sur la liste jointe à l'annexe [nom de fichier] s'appliquent.

(2) Les solutions apportées aux lacunes seront développées et mises en œuvre comme indiqué dans l'annexe [nom de fichier].

(3) La définition d'acquisition jointe au stade d'acquisition le plus faible régit le stade d'acquisition de la pratique du management (autrement dit, si la pratique du management comporte quatre définitions d'acquisition sans lacune et une définition d'acquisition avec lacune, le stade d'acquisition pour la pratique du management est celui de la définition d'acquisition avec lacune).

Au secours !!!!!

De : (respect de l'anonymat)
Pour : scottadams@aol.com

Scott,
Voici l'extrait d'une note émanant de l'un de nos directeurs généraux au sujet d'un changement de personnel.

« Ce changement nous permettra de mieux déployer nos forces vives dans un domaine où les rôles développementaux font leur apparition et de nous focaliser stratégiquement sur la prochaine transition des systèmes d'entreprise qui verra la maîtrise et la précision des systèmes devenir essentiels au maintien et à l'amélioration continue des niveaux de service à notre base de clientèle qui avance. »

Nous nous sommes penchés à plusieurs sur la question afin d'essayer de comprendre le message. Voici ce qu'il en ressort :

« Ce changement améliorera notre service à la clientèle. »

De : (respect de l'anonymat)
Pour : scottadams@aol.com

Scott,
Le directeur de notre école de commerce (autrement dit le patron) voulait que notre promo élabore un « programme de mission » auquel chacun serait fier de participer. Mais il savait qu'il lui était impossible de faire travailler 110 personnes sur un même projet, et encore moins sur un programme de mission. Alors il a constitué un comité.

Devinez ce que le comité a fait. Evidemment, il s'est divisé en groupes et a appelé tout le monde à faire partie de l'un d'eux. On a formé des « équipes » censées « déterminer notre compétence principale » et trouver un moyen de « satisfaire notre clientèle » dans le contexte d'une « amélioration continue » (de préférence en utilisant la moitié du budget actuel).

Le résultat était prévisible. Certains ont renâclé parce qu'on leur faisait perdre leur temps, d'autres ont laissé libre cours à leurs sarcasmes et d'autres encore ont même décidé de saisir cette formidable opportunité pour « faire mieux connaissance ».

Ce sont ces derniers qui ont demandé qu'on se donne tous la main avant de commencer parce qu'« on était exceptionnels et que c'était un moment exceptionnel ».

On a finalement abouti à un document que personne ne voudrait défendre. Tout le monde a reçu un mot du directeur disant en gros : « Vous n'avez pas su lire dans mes pensées et vous ne m'avez pas donné la réponse que j'attendais ! »

4

LES GROS MENSONGES DU MANAGEMENT

Pour vous faciliter la vie, j'ai établi une liste des mensonges les plus couramment employés par les cadres. C'est un service que je rends au monde des affaires. Désormais, lorsque vous raconterez une anecdote pour illustrer la mauvaise foi de vos supérieurs hiérarchiques, vous n'aurez qu'à donner la référence du mensonge. Exemple : « Il nous a fait le coup du numéro 6 et on est tous retournés à nos bureaux en rigolant ». Cela vous permettra d'économiser votre énergie pour mieux casser du sucre sur le dos de vos collègues.

Les gros mensonges du management

1. « Le personnel est notre meilleur atout. »
2. « Je pratique la politique d'ouverture. »
3. « Avec la nouvelle grille vous gagneriez plus. »
4. « Nous nous réorganisons afin de mieux servir nos clients. »
5. « L'avenir nous sourit. »
6. « Nous récompensons les preneurs de risques. »
7. « Toute peine mérite salaire. »
8. « Le messager n'a rien à craindre. »
9. « La formation est une grande priorité. »
10. « Je n'ai entendu aucune rumeur. »
11. « Nous évaluerons vos performances dans six mois. »
12. « Nous avons le meilleur personnel qui soit. »
13. « Vos idées sont importantes pour nous. »

Il n'est pas toujours facile de faire la différence entre un grossier mensonge et un simple accès de crétinisme. Face à une situation ambiguë, vous saurez détecter la vérité grâce au test de la « plus haute probabilité », une méthode très pratique.

Voici comment elle fonctionne :

> Formulez chacune des interprétations possibles de la réalité (si possible sous forme de métaphores humoristiques), puis posez-vous la question suivante :
>
> « Quelle est la plus probable ? »

Vous ne tarderez pas à découvrir que cette technique permet de nettement mieux déchiffrer ce que vous disent vos supérieurs. Permettez-moi de faire la démonstration de son utilité en ce qui concerne chacun des gros mensonges précédemment cités.

« LE PERSONNEL EST NOTRE MEILLEUR ATOUT. »

Au premier abord, cette affirmation semble s'opposer au fait que l'entreprise traite « son meilleur atout » comme un aspirateur de feuilles mortes. Comment expliquer ce flagrant paradoxe ?

Prenons un exemple. Admettons que le fauteuil de bureau de votre patron soit cassé et qu'il n'y ait pas de budget pour le remplacer. Le plus probable est donc que votre patron va :

- **A.** S'asseoir par terre jusqu'au vote du prochain budget.
- **B.** Se servir d'une simple chaise de bureau en dépit de l'image dégradante qu'elle lui confère.
- **C.** Retarder l'embauche occasionnée par le départ d'un membre du groupe, redistribuer les tâches concernées aux « meilleurs atouts » et se servir de l'argent ainsi économisé pour s'acheter un fauteuil.

En tant que salarié, on aime à penser qu'on a davantage d'importance que le mobilier de bureau. Mais le test de la « plus haute probabilité » montre bien que ce n'est pas le cas. Pour être réaliste, mieux vaut se situer plutôt vers le bas de l'échelle hiérarchique des fournitures.

Autrefois, quand j'ouvrais une boîte d'agrafes neuve, c'était avec une grande fierté que je les informais qu'elles allaient travailler pour moi, leur maître absolu. Finalement, j'ai arrêté de leur donner à chacune un nom parce que je ne supportais plus de les voir finir leur carrière complètement tordues. Ce n'est peut-être ni l'endroit ni le moment, mais si vous voyez Valentine, dites-lui bien qu'elle me manque.

« JE PRATIQUE LA POLITIQUE D'OUVERTURE. »

Le plus probable ?

A Votre patron souhaite sincèrement voir une interminable bande de clowns défiler dans son bureau pour se plaindre de choses contre lesquelles on ne peut rien. Son objectif à long terme consiste à se laisser distraire de ses vraies responsabilités, échouer dans son boulot et finir SDF.

Ou alors...

B Il sait qu'il peut amener les gens à éviter son bureau par l'intimidation en arborant un air maussade et en distribuant du travail aux dix premiers qui s'y aventurent. De cette façon, il fait preuve d'ouverture sans avoir à en supporter le coût.

« AVEC LA NOUVELLE GRILLE VOUS GAGNERIEZ PLUS. »

Est-il probable que votre entreprise ait complètement changé sa grille de rémunération pour vous payer tous davantage ? Les augmentations sont-elles si rares aujourd'hui que votre entreprise ait totalement oublié cette éventualité ?

Ou est-il plus probable que le nouveau système de rémunération soit une habile manœuvre destinée à vous cacher le fait que vos indemnités journalières sont désormais gérées par l'Eglise de scientologie ?

« NOUS NOUS RÉORGANISONS AFIN DE MIEUX SERVIR NOS CLIENTS. »

Est-il probable que l'organisation actuelle, à l'opposé de toutes les précédentes, soit celle qui va transformer votre entreprise en une véritable machine à fric ? Est-il probable que la principale raison pour laquelle votre clientèle vous déteste soit le manque d'optimisation de votre organigramme ?

Ou bien est-il plus probable que vos cadres supérieurs n'aient aucune idée de la manière dont ils peuvent résoudre vos problèmes fondamentaux, et qu'ils s'imaginent que le fait de remanier leurs réserves actuelles de crétins va faire avancer les choses ?

« L'AVENIR NOUS SOURIT. »

Est-il probable que votre patron soit un visionnaire capable de prédire l'avenir alors qu'il n'arrive même pas à faire marcher son ordinateur de bureau ? Et s'il peut voir l'avenir, est-il probable qu'il préfère gaspiller ces compétences à son poste actuel au lieu d'utiliser ses pouvoirs à gagner de l'argent en soignant le cancer ?

Ou est-il plus probable que l'avenir ne vous sourie pas davantage que votre patron ?

« NOUS RÉCOMPENSONS LES PRENEURS DE RISQUES. »

Par définition, les preneurs de risques échouent souvent. Les imbéciles aussi. Dans la pratique, il est difficile de les distinguer.

Est-il probable que votre supérieur se mette à récompenser les gens qui ont échoué, sachant qu'une bonne partie d'entre eux sont des imbéciles et que tous lui ont valu de se faire tirer les oreilles par la direction ?

Ou bien est-il plus probable que les gens qui échouent soient mutés au service Qualité tandis que ceux qui réussissent quittent l'entreprise plus vite qu'un guépard devant une frisée aux lardons ?

Question subsidiaire

Si les gens qui réussissent partent, gagnent-ils mieux ou moins bien leur vie dans leur nouvelle entreprise ?

« TOUTE PEINE MÉRITE SALAIRE. »

Est-il probable que les cadres de votre entreprise vous disent cette année : « Au diable la Bourse et nos primes. Où avions-nous la tête ? Donnons plus d'argent à nos employés ! » ?

Ou bien est-il plus probable qu'on vous fasse subir une évaluation de vos performances qui se soldera par la même augmentation ridicule que vous soyez Mère Teresa ou la Bombe humaine ?

« LE MESSAGER N'A RIEN À CRAINDRE. »

Est-il probable que tous les cadres de votre entreprise aient décidé d'œuvrer pour la paix parce qu'ils ont trouvé Bouddha au fond de leur tiroir de bureau ?

Ou est-il plus probable que ces suppôts de Satan qui turbinent au café continuent de prendre leur revanche sur la première cible suffisamment stupide pour rester immobile ?

(Remarque : donnez davantage de « corps » à certaines de ces questions pour augmenter le contraste).

« LA FORMATION EST UNE GRANDE PRIORITÉ. »

Supposons que le budget de votre service ait été réduit. Est-il plus probable que votre supérieur laisse la priorité à votre budget de formation et fasse des économies en retardant le lancement de votre produit, réduisant ainsi à la fois ses propres augmentation et prime ?

Ou bien est-il plus probable que le budget formation disparaisse plus rapidement que les petits fours lors du vernissage d'une exposition d'art contemporain ?

De la messagerie électronique...

De : (respect de l'anonymat)
Pour : scottadams@aol.com

Scott,
(...) une expérience que j'ai vécue chez [société] il y a quelques années. Une enquête indiquait que les employés avaient besoin d'une plus grande formation. Parallèlement, les budgets formation avaient radicalement baissé. Je me suis vu contraint de participer à une série de ces petites séances à 195 francs organisées dans les hôtels Ibis sur la gestion du temps, etc.

« JE N'AI ENTENDU AUCUNE RUMEUR. »

Est-il probable que le perpétuel flot de rumeurs se soit brutalement interrompu au moment même où il y a toutes les chances pour que quelque chose soit vraiment en train de se produire ?

Ou bien est-il plus probable que votre chef sache que les nouvelles sont si mauvaises que si la moindre parcelle de vérité lui échappe ses employés seront aussi productifs qu'une armée de chihuahuas ? *

« NOUS ÉVALUERONS VOS PERFORMANCES DANS SIX MOIS. »

L'avantage avec le futur, c'est qu'il n'est pas encore arrivé. Lorsque votre patron vous promet d'évaluer vos performances dans six mois en vue d'une éventuelle augmentation, quelle est la plus haute probabilité ?

A. Votre patron pense que vous pourriez gagner en intelligence et en productivité en 180 jours, ce qui vous vaudrait une si grosse augmentation de salaire que vous seriez content d'avoir attendu.

Ou...

B. Votre patron espère avoir changé de service d'ici six mois et vos chances d'obtenir une augmentation sont inférieures à celles d'un poisson pané tombé dans les griffes d'un chat.

---

* Cette analogie vous semble peut-être un peu tirée par les cheveux, mais imaginez que je vienne de terminer une étude sur les habitudes de travail des chihuahuas et que j'ai découvert qu'une armée de ces chiens constitue l'unité de travail la moins productive !

« NOUS AVONS LE MEILLEUR PERSONNEL QUI SOIT. »

Voilà un mensonge apprécié des employés. Malheureusement, une seule entreprise par branche peut avoir le meilleur personnel qui soit. Et à votre place je me méfierais de la mienne si elle me payait le salaire le plus bas.

Est-il probable que le « meilleur » personnel soit attiré par une entreprise dont la grille des salaires est inférieure à la moyenne ? Est-il possible qu'il existe une étrange affection mentale faisant que certaines personnes soient brillantes dans leur travail mais incapables de comparer les chiffres de deux salaires pour savoir lequel des deux est le plus élevé ? Disons qu'il s'agit de « savants professionnels ». S'ils existent, quelles sont les chances pour qu'ils aient tous décidé de venir travailler dans votre entreprise ?

Et est-il probable que les gens avec lesquels vous travaillez toute la journée aient l'air d'être passablement « nuls » alors que ce sont en fait les professionnels les plus calés dans leur domaine ?

Ou bien est-il plus probable que les prix Nobel aient raison au sujet de l'économie de marché et que votre entreprise dispose du personnel qu'elle mérite pour le prix qu'elle est prête à le payer ?

« VOS IDÉES SONT IMPORTANTES POUR NOUS. »

Tout cadre tient l'équation suivante pour vraie :

Idées d'employé = plus de travail = mauvais.

En tant que salarié maltraité et sans pouvoir, vous savez qu'il est amusant de faire à votre supérieur des suggestions irréalisables telles que :

« Si vous vous préoccupez de l'état de santé de vos employés, vous devriez demander au pdg de financer des recherches sur les effets du néon sur la fécondité. »

Cette suggestion est effectivement totalement irréalisable, mais son attrait réside dans le fait que votre supérieur ne peut l'écarter immédiatement sans paraître insensible. Il lui est par ailleurs impossible de déléguer le travail puisqu'aucun cadre ne permet à un subalterne de parler à son propre supérieur de peur qu'il ne tienne des propos gênants.

La plupart des suggestions faites par les employés sont soit stupides soit sadiques. De temps en temps, il peut se glisser une bonne idée parmi toutes ces inepties mais rien ne distingue la bonne idée d'une mauvaise sauf si vous en êtes l'auteur. Il n'est jamais possible de déterminer à l'avance si l'idée proposée par un employé sera bonne. C'est la raison qui contraint les cadres à considérer toutes les idées comme mauvaises.

Voici le test qui vous permettra de savoir si votre chef souhaite vraiment que ses subalternes lui soumette leurs idées.

Est-il probable que votre patron apprécie le travail supplémentaire qu'implique la mise en œuvre des suggestions bien intentionnées et tout à fait avisées de vos talentueux collègues ?

Ou bien est-il plus probable qu'il prétende écouter vos idées irréalisables, vous remercie pour vos efforts, fasse exactement ce qu'il avait prévu depuis le début puis vous demande d'organiser la collecte de fonds pour une quelconque œuvre de charité en guise de punition ?

Voyez-vous comme c'est facile ?

5

LES MÉTHODES MACHIAVÉLIQUES

(par Dogbert)

Ce chapitre contient de nombreux tuyaux infaillibles pour accroître sa fortune et son pouvoir au détriment des gens qui s'efforcent de respecter le travail d'équipe. Naturellement, j'ai réservé les plus efficaces afin de pouvoir vous écraser plus tard si cela se révèle nécessaire ou si cela paraît simplement amusant. Mais ce que vous trouverez ici devrait amplement vous suffire pour écarter les balourds au grand cœur qui vous empêchent d'avancer vers la réussite.

Usez de ces techniques avec modération, du moins jusqu'à ce que vous ayez obtenu le pouvoir absolu sur les nigauds qui vous entourent. Si vous employez toutes ces méthodes en même temps, vous effraierez probablement les occupants des bureaux voisins qui vous tiendront pour un sorcier. La meute avide de sang risque alors de débouler dans votre bureau pour massacrer votre secrétaire. Ce serait tragique, surtout si vous avez besoin de photocopies.

DONNER DE MAUVAIS CONSEILS

Tout au long de votre carrière, de nombreuses personnes viendront vous demander conseil. Saisissez l'occasion pour les éliminer du circuit une bonne fois pour toutes.

Il n'est pas toujours facile de donner un conseil. D'abord, on risque toujours de se trahir en remuant la queue de manière incontrôlée à l'idée de son coup bas. Par ailleurs, les conseils doivent avoir l'air plausible, aussi destructeurs et intéressés soient-ils. Le meilleur moyen de donner de mauvais conseils tout en ayant l'air bien intentionné est d'aller droit au but.

Supposons, par exemple, que votre patron se soit engagé dans une activité immorale et que votre collègue vienne vous demander conseil parce qu'il a découvert le pot aux roses. Il faut y aller sans détour. Dites à votre collègue de mettre le patron devant le fait accompli et de signaler par ailleurs la chose aux autorités. Vous vous mettrez ainsi sur les rangs pour obtenir le poste de votre patron tout en éliminant de manière quasiment certaine ledit collègue de la compétition, le tout au nom du bon droit.

Inutile d'opter pour la voie directe en toutes circonstances. Vos collègues sont peut-être suffisamment stupides pour accepter un bon vieux mauvais conseil sans discuter, comme dans les exemples suivants :

NdT : FYI = For your information : Pour info

TRAFIQUER LA VÉRITÉ

Ce qui est génial avec la vérité c'est qu'il existe de multiples moyens de la contourner sans être un « menteur ». Vous pouvez parfaitement éviter d'être taxé de mensonge tout en profitant de tous les avantages qu'offre la manipulation des autres, simplement en omettant quelques qualificatifs dans vos affirmations.

AFFIRMATION VRAIE	OMISSION
« Je suis pour le travail d'équipe » ……………………	dans les autres équipes.
« Vous êtes le suivant sur ma liste »……………………	des choses à ne pas écouter.
« Je vous appellerai quand je saurai »………………	que vous ne serez pas là.
« J'adore votre nouvelle coiffure »……………………	Méduse.

LES FRÉQUENTATIONS

Les gens vous jugent selon les personnes que vous fréquentez, surtout au déjeuner. Ne déjeunez jamais avec quelqu'un dont le salaire est inférieur au vôtre.

Exceptions

- Votre secrétaire, durant la Semaine Nationale des Secrétaires (vous ne pouvez pas y échapper).
- La secrétaire de votre patron (pour faire de la « lèche » indirecte).
- Une personne que tout le monde sait atteinte d'une maladie mortelle (ça vous donne l'air compatissant).

Si, malgré tout, vous ne pouvez éviter de déjeuner avec quelqu'un moins bien payé que vous, tentez de sauver la situation en faisant courir la rumeur selon laquelle cette personne est gravement malade. Techniquement, ce n'est pas tout à fait un mensonge puisque nous mourrons tous un jour. Si on vous surprend ensemble, tenez votre serviette devant la bouche en guise de masque chirurgical lorsque votre interlocuteur vous parle.

L'idéal serait de piéger les personnes mieux payées que vous en les amenant à être vues en votre compagnie au déjeuner. Elles tenteront tout pour vous éviter, alors soyez vif et sournois. Essayez, par exemple, de prévoir un déjeuner avec l'ensemble du service puis oubliez d'inviter les autres membres dudit service. Ou, si vous détenez d'importantes informations nécessaires à la personne visée, prenez ces informations en otage et exigez un déjeuner à titre de rançon.

LA RÉTENTION D'INFORMATIONS

Il est parfois très efficace, pour les personnes incompétentes qui s'accrochent au pouvoir dans une entreprise, de créer un monopole d'informations. Ces informations doivent être considérées comme importantes, mais pas essentielles. En d'autres termes, vos collègues doivent vouloir les informations que vous détenez mais pas au point de vous étrangler pour vous les faire cracher. Pour protéger les informations que vous conservez par stratégie, construisez-vous un système de défense multi-niveaux. Avec dans votre comportement juste ce qu'il faut de fausse bonne volonté et d'attitude totalement psychopathe, vous pourrez retenir quasiment n'importe quoi. Voici comment vous y prendre.

Premier niveau

Insistez pour dire que vous n'avez pas l'information et agissez comme si vos interlocuteurs étaient fous de penser le contraire. Répétez leur demande à voix haute afin de donner l'impression que ce qu'ils réclament n'a aucun sens. Cuisinez-les en leur demandant ce qui, grand Dieu, les amène à penser que vous pouvez détenir cette information. S'ils vous démontrent de manière convaincante qu'ils savent que vous possédez ladite information, souriez et faites comme si le problème était lié à la manière dont ils vous ont posé la question. Puis passez à la seconde phase.

Deuxième niveau

Dites à votre interlocuteur que vous êtes trop occupé pour lui expliquer toutes les informations qu'il demande. Rappelez-lui qu'il vous a fallu des années pour les comprendre. Demandez-lui de vous laisser un message – dont vous pourrez aisément ne pas tenir compte – sur votre boîte vocale afin de prendre rendez-vous pour en discuter ensemble. Parce que vous êtes

« désireux de l'aider ». Si le demandeur persiste, passez à la troisième phase.

Troisième niveau

Insistez sur le fait que l'information n'est pas encore prête, soit parce que vous attendez de la soumettre à quelqu'un d'autre, soit parce qu'il vous faut revenir sur différents points pour supprimer toutes les données trompeuses. Si le demandeur insiste pour obtenir au moins les informations du mois précédent, ou même des informations trompeuses, passez à la quatrième phase.

Quatrième niveau

Affichez un caractère exceptionnellement mauvais. Montrez-vous grossier, négatif et condescendant. Cette phase ne constitue pas une défense en soi, mais elle rend les demandeurs plus vulnérables aux phases suivantes.

Cinquième niveau

Donnez à votre interlocuteur des informations incomplètes ou inexactes et espérez qu'il reparte en pensant avoir obtenu ce qu'il voulait. Lorsqu'il sera revenu dans son bureau et découvrira qu'il a été dupé, il sera peut-être découragé. Si vous vous êtes bien débrouillé lors de la quatrième phase, que vous avez affiché un très mauvais caractère, il y a de bonnes chances pour qu'il abandonne l'idée de vous redemander quoi que ce soit et vous laisse en paix.

Contrôle des dégâts

Si le requérant quitte votre bureau avec une quelconque information, plaignez-vous auprès de qui veut bien vous entendre que l'information ne vaut rien car votre interlocuteur n'y a rien compris ou l'a mal interprétée.

ON PEUT RÉPARER UNE INJUSTICE PAR UNE AUTRE, OU PRESQUE

Dans sa naïveté, votre entourage n'avait techniquement pas vraiment tort lorsqu'il vous disait qu'« on ne répare pas une injustice par une autre ». Toutefois, il a oublié de mentionner que deux injustices s'annulent parfois, et même si cela ne vaut pas une véritable réparation, c'est beaucoup mieux qu'une injustice. Si vous êtes intelligent, vous pouvez neutraliser n'importe quel coup grâce à une série d'actions dévastatrices qui compensent le mal subi, comme dans l'exemple suivant :

LES REPRÉSAILLES

Les représailles sont vos meilleures alliées, surtout associées à leur compagne naturelle, l'hypocrisie. Pour une raison ou pour une autre, « représailles » est devenu un petit mot terrible dans le monde de l'entreprise. Mais seul, le mot lui-même pose un problème, car la pratique en est toujours aussi populaire. Faites-en usage à la première occasion.

Si le fait d'exercer des représailles peut être divertissant et vous apporter pleine satisfaction, c'est la menace des représailles qui vous aidera le plus souvent dans votre carrière. Pour que la menace soit prise au sérieux, vous devez avoir le pouvoir réel ou potentiel de les exercer.

Si votre échelon est faible, vous devez donner l'impression que vous avez des chances d'obtenir une promotion ou que vous évoluez dans l'entourage de quelqu'un qui dispose d'un quelconque pouvoir.

Si vous êtes laid et s'il est improbable que vous progressiez dans la hiérarchie, mieux vaut vous créer une aura de promotion imminente simplement en vous donnant l'air d'un cadre :

- Habillez-vous plus cher que vos collègues.
- Dissimulez toute trace de compétence technique.
- Employez le mot « paradigme » plusieurs fois par jour.
- Dites à tout le monde que vous préparez une réunion avec le pdg.
- Faites référence aux articles du Financial Times. *

Tout cela ne suffira pas à vous garantir la promotion, encore que... mais sera suffisant pour que vos collègues se disent qu'il vaut mieux prendre les devants et vous faire un peu de « lèche ».

Toutes vos menaces de représailles sembleront inoffensives tant que vous n'aurez pas apporté la preuve que vous avez le don de détecter les transgressions survenues dans votre dos. Pour jouer à Big Brother, je vous conseille notamment la mise en place d'un réseau de bons et loyaux espions au sein de l'entreprise.

* Ne gaspillez pas votre temps à lire le Financial Times. Beaucoup de gens s'y abonnent mais personne ne le lit vraiment. Il est plus simple de dire seulement : « Hé, vous avez vu cet article dans le F.T. (prononcez êfti) hier ? » et d'attendre de voir ce qui ce passe. Si votre interlocuteur répond par l'affirmative, il bluffe aussi. Dans ce cas vous pouvez tous les deux vous payer une bonne partie de rire sur la subtilité de l'article et en rester là. S'il indique qu'il n'a pas lu l'article, adressez-lui un regard condescendant et murmurez « Tout s'explique » avant de changer de sujet.

Le meilleur moyen d'inciter ces espions à vous fournir leurs informations est de leur donner d'autres informations en échange, fausses de préférence. N'hésitez pas à inventer des rumeurs plausibles qui ne risquent absolument pas de se matérialiser un jour. Les fausses rumeurs laisseront penser que vous êtes en contact avec les cercles fermés de l'entreprise d'où émanent de nombreuses idées qui ne se concrétisent jamais. Formulez toujours vos rumeurs en termes vagues comme « Ils envisagent de... » ou « Un des projets vise à... » afin que, quoi qu'il arrive, on ne puisse démontrer que vous aviez tort.

Dernier point, mais certainement le plus important, si vous voulez que les représailles marchent en votre faveur, annoncez votre intention d'en faire usage, comme dans l'exemple suivant :

LA MANŒUVRE DU VIRUS

Si vous êtes chargé d'un projet voué à l'échec, ou si les gens qui travaillent pour vous sont vraiment des ratés, il faut prendre vos distances par rapport à eux aussi vite que possible. La méthode directe consiste à simplement changer de poste ou à licencier vos mauvais employés. Mais cela ne règle pas vraiment le problème. Pensez plutôt aux tocards comme à des virus en puissance dont vous pouvez vous servir pour empoisonner vos ennemis à l'intérieur de l'entreprise. Il vous suffit de vanter leurs soi-disant mérites et d'attendre qu'un cadre sans méfiance tente de vous les arracher des mains.

Ne vous montrez jamais négatif dans les évaluations de performances de vos mauvais éléments, ce serait une grave erreur. Vous limiteriez leurs possibilités de changement de poste et ils vous resteraient à jamais sur les bras, jusqu'à ce que leur effet corrosif vous ait totalement détruit. Mieux vaut vous focaliser sur les aspects positifs de chacune de leurs performances, même si pour cela vous devez un peu écorcher la vérité.

Si vous ne parvenez pas à faire muter vos funestes employés, attribuez-leur des postes qui engagent leur responsabilité dans des projets menés en étroite collaboration avec d'autres cadres. Si cela n'est pas possible, et en dernier ressort, chargez-les de la collecte de fonds pour l'œuvre de charité à laquelle vous apportez votre soutien. Comme ça, tout le monde souffrira en même temps que vous.

LA DÉMAGOGIE

Vous pouvez gagner en notoriété en vous prononçant ouvertement contre ce qui est déjà impopulaire. Le centre de vos attaques pourrait être un projet, une technologie ou une stratégie, voire un cadre incompétent. Les cibles ne manquent pas. Néanmoins, choisissez soigneusement votre victime. Assurez-vous qu'elle soit déjà en position de faiblesse et largement méprisée. Lorsque l'inévitable se produira, vous aurez l'air d'un génie puisque vous aurez prédit la chute avec précision.

Voici quelques bons exemples de projets dont vous pouvez prédire l'échec en toute confiance :

- Tout effort visant à remonter le moral des troupes
- Tout effort de reengineering à grande échelle
- Tout projet s'étalant sur plus de deux ans
- Tout produit technologique imposé par le marché
- Tout ce qui n'a encore jamais été fait.

Bien sûr, certains des projets que vous attaquerez réussiront, par pure chance. Toutefois, aucun projet ne connaît jamais un succès tel qu'il soit impossible de lui dénicher quelque faiblesse. N'hésitez pas à les citer en exemple en affirmant que c'était « justement ce que vous craigniez ».

Une fois que vous aurez la réputation de savoir prévoir l'échec des travaux des autres, les cadres supérieurs commenceront à vous tenir pour un brillant visionnaire. Inévitablement, vous obtiendrez une promotion, et là vous serez dans une bien meilleure position pour vous servir des autres à vos propres fins.

LE DÉNIGREMENT DE SES COLLÈGUES

Toute réussite est relative. Vous pouvez améliorer votre réussite relative en dénigrant les compétences et les résultats de votre entourage. La stupidité des gens qui vous entourent devrait vous faciliter la tâche. Tel un rayon laser, focalisez-vous sur le moindre de leurs faux pas et profitez de toutes les occasions pour faire connaître leurs erreurs à votre patron. Rusez pour ne pas avoir l'air de donner des coups de poignard dans le dos des autres.

N'hésitez pas, par exemple, à débiner vos collègues auprès de la secrétaire du patron. Voilà un bon moyen de s'assurer que l'information atteigne son but sans se retrouver directement mêlé à la chose. En prime, il y a tout à parier que vos propos seront exagérés. Mais surtout, si vous parvenez à convaincre ladite secrétaire que vos collègues sont des mauvais, ces derniers n'auront plus aucune chance d'obtenir un rendez-vous avec le patron pour lui prouver le contraire.

Ne commettez pas l'erreur de critiquer vos collègues en leur présence. Vous dévoileriez votre jeu et inciteriez votre victime à se venger. La seule critique constructive est celle que vous faites dans le dos des autres.

LA FORME AVANT LE CONTENU

La Terre est peuplée de gens superficiels et ignares. C'est pourquoi la forme prime toujours sur le contenu. Alors, soit vous perdez votre temps à vous en plaindre et à dire que cela ne devrait pas être le cas dans un monde parfait, soit vous réagissez et vous suivez mes conseils.

Soigner ses dossiers

Si la longueur d'un dossier dépasse deux pages, il y a peu de chances pour qu'il soit lu. De toute façon, ceux qui le liront l'auront totalement oublié vingt-quatre heures plus tard. Vous l'aurez donc compris, tous vos dossiers doivent faire plus de deux pages.

Vous ne voudriez pas que vos lecteurs soient influencés par toute une série de faits. Ce qui compte, c'est qu'ils remarquent votre utilisation créative des polices de caractères, votre superbe maîtrise de l'espace vierge et la magnifique inspiration de vos graphiques. Si vous choisissez la bonne mise en page, vous ferez une excellente impression au lecteur qui vous tiendra pour un génie et pensera par conséquent que tout ce que vous écrivez ne peut être qu'une bonne idée.

Savoir s'habiller

Contrairement à une idée largement répandue, c'est plus souvent grâce à sa tenue qu'à ses compétences ou ses résultats qu'on obtient une promotion. L'admiration suscitée par vos vêtements finit toujours par rejaillir sur vous puisque c'est vous qui les portez.

Veillez toujours à vous habiller mieux que vos collègues afin d'être sûr que la promotion soit attribuée à vos vêtements et non pas à ceux d'un autre. Et n'oubliez pas d'être dans vos vêtements le jour J. Un homme avait commis l'erreur d'emporter son linge destiné au pressing sur son lieu de travail : il s'est retrouvé sous les ordres de sa propre veste de sport.

Avoir l'air occupé

Ne sortez jamais dans le couloir sans un dossier sous le bras. Les employés qui ont les bras chargés de dossiers ont l'air de se rendre à d'importantes réunions. Ceux qui n'ont rien dans les mains ont l'air de se rendre à la cafétéria. Ceux qui passent avec le journal sous le bras ont l'air de se rendre aux toilettes.

Surtout, n'oubliez jamais d'emporter de nombreux dossiers à la maison le soir, vous donnerez ainsi la fausse impression que vous faites des heures supplémentaires.

JOUER SUR L'AVIDITÉ

Vous pouvez court-circuiter les deux ou trois neurones qui alimentent le fameux bon sens des gens en faisant appel à leur avidité. Rien ne définit mieux l'être humain que sa disposition à faire des choses absurdes pour obtenir des résultats totalement improbables. C'est le principe qui anime les loteries, les rendez-vous galants et la religion. Il est tout à fait possible de profiter de cette bizarrerie humaine sans que cela vous coûte quoi que ce soit.

La psychologie explique ce phénomène : la vie est dure; tout le monde fantasme sur une vie meilleure. En tant que parfait petit Machiavel, vous allez donc vous efforcer de donner aux gens une minuscule chance de faire fortune à condition qu'ils fassent ce que vous leur demandez.

FAIRE FAIRE SON TRAVAIL PAR LES AUTRES

Profitez de toutes les occasions qui se présentent pour déléguer soit vers le bas, soit sur le côté ou vers le haut tout ce qui, dans votre travail, ne vous apporte ni prestige ni satisfaction.

La délégation aux subalternes est aisée. Le plus difficile est de déléguer à ses collègues et à son patron. N'oubliez jamais d'invoquer le principe de « l'efficacité » lorsque vous essayez de « fourguer » votre travail de manière latérale ou verticale. Votre argument sera d'autant plus justifié que vous vous serez fait une réputation d'incompétence et de manque de fiabilité pour tout ce qui concerne les tâches ennuyeuses ou ingrates.

Si, par exemple, vous êtes chargé d'apporter les croissants à la réunion du personnel, choisissez toujours des « ordinaires ». Si on vous demande de taper le compte rendu de la réunion, faites délibérément des fautes d'orthographe dans les citations des autres participants. Si on vous demande d'organiser la collecte de fonds pour l'œuvre de charité soutenue par l'entreprise, commencez toutes les réunions en disant que ces gens devraient « se trouver un boulot et arrêter de jouer les parasites ».

Vous finirez par vous retrouver dans une bien meilleure position pour convaincre lorsqu'il s'agira d'avancer ce genre de prétexte : « Oh, je ferais bien ces photocopies moi-même, mais pour plus d'efficacité, il vaudrait mieux demander à Franck. »

Mais, pour éviter le travail, le plus facile est encore de laisser faire par les autres tout ce qui a plus d'importance à leurs yeux qu'aux vôtres. Si vous ne tenez aucun compte de ce type de travail pendant suffisamment longtemps, la personne qui a réellement besoin qu'il soit fait finira par s'offrir pour le faire elle-même, même si c'est manifestement à vous de le faire.

EXAGÉRER SES TALENTS

Tout le monde exagère ses talents. Il n'y a aucun mal à cela. Mais vous, vous devez passer à la vitesse supérieure : la pure imagination. En effet, il ne suffit pas de dire que vous avez parfaitement accompli les tâches qui vous avaient été confiées ; vous devez vous attribuer le mérite de tous les résultats positifs survenus dans l'entreprise et sur Terre.

Ce que vous avez fait	**Ce que vous pouvez revendiquer**
Vous avez assisté à certaines réunions, mangé des croissants, hoché la tête en faisant croire que vous compreniez.	Vous avez créé une stratégie destinée à favoriser le passage de l'entreprise dans le XXIe siècle. Vous avez accru le chiffre d'affaires de 125 millions de francs.

Ce que vous avez fait (suite)	**Ce que vous pouvez revendiquer (suite)**
Vous avez travaillé sur un projet annulé dès que la direction a compris ce que vous étiez en train de faire.	Vous avez réalisé le reengineering des processus fondamentaux de l'entreprise et augmenté sa part de marché de 90 %.
Vous vous êtes retrouvé coincé à organiser l'achat de bons du Trésor.	Vous avez stabilisé le système monétaire de la quatrième puissance du monde

L'INTIMIDATION PAR L'EXCÈS

Parlez fort et agissez de manière un peu folle. Vos collègues et même vos patrons vous accorderons vos quatre volontés si vous appliquez systématiquement cette méthode. Systématiquement, voilà le secret. Laissez clairement entendre qu'il est impossible de vous raisonner et que vous ne cesserez jamais de parler fort ni d'être odieux tant que vous n'aurez pas obtenu gain de cause. Cette méthode est efficace car la loi interdit aux gens de vous tuer et il n'existe aucun autre moyen concret de vous arrêter.

Au début, vos victimes tenteront peut-être d'attendre que ça vous passe, en espérant que vous vous fatiguiez et que vous partiez : c'est ce qui pousse les Machiavel amateurs à l'échec. Ils abandonnent trop tôt. Vous devez persister, porter la méthode de l'excès à la limite de la folie. Sans jamais vous laisser aller.

Une fois que vous avez obtenu ce que vous vouliez, redevenez immédiatement la personne la plus gentille que votre victime ait jamais connue. Achetez-lui des friandises. Appelez son patron pour lui dire que c'est à elle que reviennent tous les lauriers. Portez-la aux nues dès que quelqu'un d'autre approche. Cela élargira, aux yeux de tous, le fossé entre l'être que vous êtes lorsqu'on vous donne satisfaction et celui que vous devenez lorsqu'on vous refuse quoi que ce soit.

Cette méthode est particulièrement efficace avec les personnes nées dans des familles à problèmes. Heureusement, pratiquement tout le monde est concerné. Celles-là commenceront par croire que vous êtes leur meilleur ami. Dans ce cas, vous pourrez encore mieux les exploiter.

GÉRER LES PROJETS SÉDUISANTS

La valeur de tout projet réside dans l'impression qu'il fera sur un CV. Ne vous laissez pas piéger par la propagande de l'entreprise qui vous dit que telle ou telle chose est très importante pour les actionnaires. Les actionnaires sont des gens que vous ne rencontrerez jamais. Et comme la plupart des projets échouent ou finissent par ne plus rien avoir de commun avec l'idée de départ, votre CV est le seul espoir d'un impact durable de votre travail. Attention, à vous de décider ce qui compte le plus pour vous.

Personne ne peut se faire une véritable idée de ce qu'un salarié a vraiment fait dans un poste à la simple lecture de son CV. Tous les jugements reposent forcément sur l'aspect collectif de chaque terme employé. C'est pourquoi vous devez collaborer à des projets dont les noms sonnent bien.

Evitez les projets dont le nom comprend l'un des termes suivants :

- Comptabilité
- Transaction
- Réduction
- Budget
- Qualité
- Analyse.

Participez à tous les projets dont la description comprend l'un des termes suivants, c'est de la valeur ajoutée en barre pour votre CV :

- Multimédia
- International
- De pointe
- Stratégique
- Chiffre d'affaires
- Marché
- Technologie
- Rapidité
- Compétitif.

SE FAIRE DES ALLIÉS

Les idiots ne manqueront pas de contrecarrer vos plans les plus brillants. Pour minimiser leur résistance collective, vous pouvez faire appel à la fameuse politique du « forum d'idées ». Il suffit de recueillir l'opinion des gens qui se sentent concernés par une décision, de prétendre que cela vous intéresse, puis de faire comme si votre proposition reflétait parfaitement la volonté de la majorité.

Cela peut sembler bête, mais si vous la comparez aux autres solutions possibles, cette méthode est la seule à vous apporter une solution concrète.

Il est impossible de prendre en compte cent opinions différentes et tout aussi impossible de ne pas en tenir compte du tout. Vous ne pouvez donc que fournir aux gens l'illusion d'avoir participé à la prise de décision. Allez savoir pourquoi, cela suffit à les rendre heureux *.

C'est d'ailleurs la base de toutes les démocraties.

LES STRATÉGIES ALIMENTAIRES

Selon certains témoignages, des employés victimes de légère intoxication à la suite d'un repas pris dans leur restaurant d'entreprise se seraient, sous l'effet conjugué de l'empoisonnement et de l'état d'hypnose induit par la monotonie de leur tâche, involontairement mis à agir dans le meilleur intérêt de leur entreprise après avoir lu le message de motivation placardé sur le tableau d'affichage.

Cela peut vous arriver. Surveillez votre assiette. C'est le meilleur conseil que je puisse vous donner.

* Sans doute parce que les gens sont idiots.

MANIPULER LES MÉDIAS

Les journalistes sont quotidiennement confrontés à un douloureux dilemme : faire de pénibles recherches pour leurs articles ou se contenter d'écrire ce qu'on leur dit. Ce qui revient au même.

Contrairement à ce que vous pensez sans doute, les citations que vous lisez dans les journaux sont rarement fidèles aux propos effectivement tenus et rarement retranscrites dans leur contexte. La plupart sont forgées de toutes pièces par les auteurs en mal de justification de l'idée qu'ils se faisaient de leur article avant même de l'écrire. Lorsqu'on vous interviewe, évitez donc de mentionner tout ce que vous ne souhaiteriez pas qu'on déforme dans vos propos. Par exemple, voyez comment une simple annonce risque d'être déformée, tout en demeurant une citation légitime :

Vous avez dit : « Notre entreprise a habitué la maison-mère à thésauriser ses réserves mais personne ne le dit jamais dans les médias. »
Les médias reprennent : « Notre entreprise a — tué —mère —Te — res — a —. »

Toutes les informations sont focalisées soit sur quelque chose de dramatique, soit sur quelque chose de formidable. Mieux vaut aider le journaliste à déterminer ce qui est formidable en ce qui vous concerne, car généralement l'article traite, par défaut, de ce qui est dramatique.

LE PIÈGE DE L'HONNÊTETÉ

Il peut vous arriver d'être tenté de donner votre opinion en toute sincérité à un cadre supérieur. Résistez à tout prix à la tentation.

Ne vous laissez pas aller à un faux sentiment de sécurité parce que la direction ne cesse d'exprimer son intérêt pour l'opinion de la base. Il n'y a que deux choses que l'on puisse dire en toute sécurité :

- « Vos décisions sont formidables ! »
- « J'ai une idée pour économiser du papier ! »

Toute autre forme de retour est un défi directement lancé à l'intelligence et l'autorité de votre supérieur. Si vos accès de sincérité sont plus forts que vous, essayez ce simple exercice, il vous aidera peut-être à dominer vos tendances masochistes :

1. Procurez-vous une grande spatule en bois.
2. Tapez-vous sur la tête avec.
3. Recommencez.

S'ATTRIBUER LE MÉRITE DU TRAVAIL DES AUTRES

Des millions d'employés font des millions de choses chaque jour. Par le plus pur des hasards, il arrive que certains fassent involontairement quelque chose de valable. Sachez discerner ces rares occasions, puis faites en sorte de vous en attribuer le mérite.

Si vous êtes le patron, assurez-vous que votre nom figure en bonne place sur tout document produit par l'un de vos employés. Ils détestent ça mais si vous avez bien suivi le paragraphe consacré aux représailles, cela ne devrait vous poser aucun problème.

Si vous travaillez en équipe, faites en sorte d'être celui qui présente les conclusions et diffuse les dossiers à la direction. Agrafez votre carte de visite à tous les documents diffusés. Vous apparaîtrez comme le principal collaborateur même si vous vous êtes contenté de grignoter des petits gâteaux et de fantasmer sur l'une de vos collègues pendant les réunions.

PROPOSER DE FAUX SACRIFICES

Lorsqu'on travaille en équipe, il est essentiel de se montrer prêt à faire de faux sacrifices, que les autres perçoivent toutefois comme sincères. N'hésitez pas à offrir de vous passer de choses dont vous savez pertinemment qu'elles ne seront pas acceptées ou qu'elles ne manqueront à personne. Voici quelques bonnes idées de sacrifices :

- Offrez de réduire le taux d'augmentation des prochains budgets sans cesser de parler de réduction de budget.

- Proposez de l'« aide » et profitez-en pour vous débarrasser de vos éléments les plus médiocres.
- Réduisez votre budget grâce à l'annulation d'un projet voué à l'échec en raison de votre mauvaise gestion.
- Proposez de licencier les employés de votre service qui font partie d'autres groupes dans l'entreprise. Il incombera aux responsables des autres groupes de lutter pour reconstruire votre empire tandis que vous passerez pour un beau joueur en proposant ce sacrifice.
- Offrez de réduire le financement du système le plus essentiel à l'entreprise. Non seulement cette offre ne sera jamais acceptée mais elle donnera l'impression que tout ce que vous n'aurez pas proposé doit être comparativement plus important.

TRAVAILLER SUR DES PROJETS DONT LES RÉSULTATS NE SONT PAS VÉRIFIABLES

Les meilleurs boulots sont ceux dont les résultats ne sont pas quantifiables. Tenez-vous à l'écart de tout ce dont la valeur peut être mesurée en termes de quantité et d'opportunité. Il est nettement plus facile d'exagérer votre impact sur le plan qualitatif que sur le plan quantitatif.

Emplois à éviter

Vente
Programmation
Transaction
Service-clientèle
Expédition.

Emplois recommandés

Stratégie
Tout ce dont le nom mentionne « médias »

Marketing (pour les produits éprouvés)
Projets de reengineering à long terme
Publicité
Achats.

AIGUILLER LES GENS SUR LE SERVICE JURIDIQUE

De temps à autre, il vous sera nécessaire de démolir un projet sans vous faire démasquer. C'est pour cette raison que les grandes sociétés se dotent de services juridiques. Aucun projet ne présente assez peu de risques pour que le juriste de l'entreprise ne parvienne à le démolir.

GÉRER LE BUDGET DU GROUPE

La gestion du budget de votre groupe peut ne pas être un travail très valorisant. Comme la plupart des cadres en refusent la responsabilité, il vous sera facile de contrôler toutes les tâches se rapportant au budget.

Une fois que vous contrôlez ça, vous contrôlez la stratégie et les carrières de tous les membres du service.

On croit très souvent à tort que le budget est établi par la direction et que les analystes financiers ne sont que des pions qu'elle manipule. En réalité, bien sûr, c'est l'inverse. Tout ce qui touche au budget ennuie et dépasse tellement la direction qu'elle saute sur la moindre occasion pour accepter les recommandations faites par les analystes.

6

LES STRATÉGIES DU SALARIÉ

Vous travaillez plus que jamais. Et avec un peu de chance, vous faites partie de ces cadres privilégiés auxquels les heures supplémentaires ne sont pas payées. Votre salaire horaire semble rétrécir comme une peau de chagrin.

Faux !

La nature est bien faite. Voyez davantage les choses dans leur ensemble. Tenez compte de votre rémunération globale, ce que j'appelle la « rémunération horaire virtuelle ».

DÉFINITION

La rémunération horaire virtuelle correspond au montant total de la rémunération que vous percevez à l'heure, ce qui comprend :

- le salaire
- les primes
- les prestations maladie
- les demandes de remboursement de transport exagérées
- les fournitures volées
- le café
- les petits gâteaux
- la presse
- les appels téléphoniques personnels
- le sexe au bureau
- le télétravail
- les faux arrêts maladie
- le surf sur Internet
- le courrier électronique personnel
- l'utilisation de l'imprimante laser pour votre CV
- les photocopies gratuites
- la formation pour votre prochain emploi
- l'utilisation de votre bureau pour la vente au détail.

LA LOI ADAMS SUR L'ÉQUILIBRE DE LA RÉMUNÉRATION

Selon cette loi, la rémunération horaire virtuelle demeure constante dans le temps. Dès qu'un employé trouve le moyen d'accroître sa charge de travail, la nature rétablit l'équilibre en adaptant soit sa rémunération, soit ses horaires de travail.

Lorsque, par exemple, les entreprises se sont mises à pratiquer la réduction d'effectifs à tout va au début des années quatre-vingt-dix, les rescapés ont réagi en allongeant leur temps de travail afin d'éviter de se faire remarquer. Les salaires n'ont guère augmenté car la demande d'emploi était supérieure à l'offre. En surface, ça donnait l'impression que le salaire horaire moyen baissait régulièrement.

Comme on pouvait s'y attendre, la nature a compensé ce déséquilibre temporaire en créant de nouvelles activités. Ça a la couleur du travail mais ce n'en est pas : pensez à l'accès à Internet et au télétravail, par exemple.

La nature fournit les mêmes artifices à d'autres membres du règne animal pour tromper leurs adversaires. Tout comme le plastrion argenté qui hérisse ses plumes lorsqu'il est menacé pour faire croire qu'il est plus gros *, les employés donnent l'impression de faire davantage d'heures sans réellement travailler plus. L'équilibre est maintenu.

ÉQUATION DU TRAVAIL GLOBAL

Vrai travail + semblant de travail = travail global.

Pourquoi ne pas participer activement au grand projet de la nature en vous adonnant énergiquement aux activités qui créent l'équilibre. Essayez de maintenir votre travail global à un niveau constant sans accroître votre vrai travail. Ne ménagez pas vos efforts sur le semblant de travail et adoptez les activités suivantes :

- le surf sur Internet
- le courrier électronique personnel
- les réunions
- les conversations avec le patron
- les conventions
- la mise à jour de votre ordinateur
- les essais de nouveaux logiciels
- l'attente des réponses de vos collègues
- la consultation des projets
- le filtrage par la messagerie vocale.

LE TÉLÉTRAVAIL

* C'est vrai, j'ai inventé ça de toutes pièces, mais il existe forcément quelque part un oiseau qui hérisse ses plumes lorsqu'il est menacé. Si je me souviens bien, c'est exactement ce qu'a fait ma perruche juste avant le tragique accident de basket dont j'ai tenu mon frère responsable par la suite.

Le télétravail est un don de la nature pour notre génération. Au moment où la conjugaison des transports interminables, de la pollution, des embouteillages et des réunions prolongées semblait sur le point de nous tuer, voilà que la nature nous offre le travail à domicile.

Désormais, on peut passer du temps chez soi, rester en pyjama toute la journée, écouter de la musique et jouer avec sa marionnette. En étant généreux, on peut estimer la productivité à deux heures. C'est toujours plus que ce qu'on atteignait au bureau, ce qui donne bonne conscience.

Le bureau est conçu pour le « travail », pas pour la productivité. Le travail peut se définir comme « tout ce qu'on préférerait ne pas être en train de faire ». La productivité, c'est autre chose. Le télétravail donne deux heures de productivité pour dix heures de travail.

Pour cacher votre joie de travailler à domicile (et éviter que le système du télétravail ne soit supprimé pour excès de joie), saisissez toutes les occasions pour mentir sur la quantité de « travail » supplémentaire que vous faites à la maison. Laissez de nombreux messages à propos de tout et de rien sur la boîte vocale de votre patron et de vos collègues. Cela créera l'illusion que vous n'êtes pas aussi heureux et improductif qu'eux, et justifiera le maintien du principe du télétravail.

LA GESTION D'UNE ACTIVITÉ SECONDAIRE DEPUIS SON BUREAU

Le bureau cloisonné offre un excellent espace pour la vente au détail, notamment de poupées en chiffon, de boucles d'oreilles, de cosmétiques, de pierres semi-précieuses, d'arrangements floraux, de produits ménagers, de biens immobiliers et de séjours de vacances. Ne vous privez pas du « travail au noir », ou du « travail au néon » comme je préfère l'appeler.

Il vous suffit de vous fabriquer un joli panneau pour signaler votre petite affaire. Une brochure ou un échantillon vous aideront certainement à attirer le chaland.

Inutile de vous lancer dans la marchandise de grande qualité. Soyons honnête, si vos collègues étaient suffisamment intelligents pour faire la différence entre les diamants et les crottes de singe, ils ne travailleraient pas dans cette entreprise. Alors, ne gaspillez pas votre temps sur la

« qualité ». C'est la place qui compte, et vous ne disposez que de 5 m^3. Voilà une bonne occasion de gagner un peu d'argent tout en travaillant.

LE VOL DE FOURNITURES

Les fournitures tiennent une place importante dans la rémunération globale. Si Dieu ne voulait pas qu'on vole les fournitures de bureau, il ne nous aurait donné ni mallettes, ni sacs, ni poches. En fait, aucune des grandes religions ne spécifie que ce type de chapardage est interdit *.

Le seul inconvénient est le risque de se faire prendre, de se couvrir de honte et d'être arrêté. Mais comparé à votre situation professionnelle actuelle, je pense que vous serez d'avis que ce n'est pas vraiment un problème.

Mon secret : éviter de devenir trop gourmand. Les fournitures de bureau, c'est comme les intérêts composés, un petit peu tous les jours, ça finit par faire beaucoup. Si vous voulez des post-it, ne prenez pas tout un carton à la fois, contentez-vous d'en coller quelques-uns en guise de marque-pages dans les dossiers que vous ramenez à la maison. Petit à petit, vous pourrez reconstituer les paquets.

Vous pouvez voler une quantité illimitée de crayons et de stylos, mais évitez l'erreur fatale de constamment demander à la secrétaire du service la clé du placard. Cela attirerait les soupçons. Mieux vaut dérober les fournitures de vos collègues. L'air de rien, empruntez leurs outils durant les réunions et oubliez de les leur rendre. Agissez avec naturel, et n'oubliez pas de vous esclaffer en prétendant que vous l'avez mis dans votre poche par « réflexe » si vous vous faites prendre.

Vos collègues tenteront probablement de vous dérober vos propres outils. Protégez vos crayons et stylos en les mordillant de manière démonstrative durant les réunions. J'ai remarqué que les traces de dents étaient souvent plus efficaces que les anti-vols pour dissuader les voleurs.

Si vous possédez un ordinateur personnel, n'achetez jamais vos disquettes. Les disquettes volées ressemblent en tous points aux disquettes du bureau que vous emmenez à la maison pour « travailler un peu le soir ». La seule limite concrète quant au nombre que vous pouvez voler est la valeur nette de la société à laquelle vous les voler. Votre entreprise risque de faire faillite si vous lui prenez trop de disquettes. Personne n'y gagnerait. C'est pourquoi il vaut mieux faire preuve de modération. Une fois

* Certains théologiens ne manqueront pas de mettre en cause mon interprétation. Mais finalement c'est une question de foi.

que vous avez réuni suffisamment de disquettes pour sauvegarder votre disque dur, voire remplir votre maison, pensez à freiner vos ardeurs.

L'UTILISATION DES ORDINATEURS POUR SE DONNER L'AIR OCCUPÉ

A chaque fois que vous utilisez un ordinateur, le simple observateur a l'impression que vous « travaillez ». Vous pouvez envoyer et recevoir du courrier électronique, télécharger des fichiers pornographiques sur Internet, faire vos comptes ou vous amuser sans rien faire qui soit directement lié à votre travail. Ce ne sont pas exactement les avantages sociaux que tout le monde espérait de la révolution informatique, mais ce n'est pas mal non plus.

Si vous vous faites prendre par le patron, et vous vous ferez forcément prendre, votre meilleure défense consiste à prétendre que vous apprenez à vous servir d'un nouveau logiciel tout seul, ce qui lui permet de réaliser des milliers de francs d'économie sur les stages de formation. Vous n'êtes pas un tire-au-flanc, mais quelqu'un de très motivé. Offrez-lui de lui montrer ce que vous avez appris. Cela le fera fuir aussi vite qu'une salamandre effrayée. *

L'ATTENTE D'INFORMATIONS DE LA PART DE SES COLLÈGUES

Quasiment aucune tâche ne peut être effectuée sans l'obtention préalable de l'aide d'autres membres de l'entreprise. Heureusement, vous n'obtenez jamais aucune aide parce que les autres sont trop occupés à essayer d'en obtenir eux-mêmes.

---

* Lors de tests en laboratoire, trois salamandres effrayées sur quatre ont été prises par erreur pour des superviseurs.

Cette situation est avantageuse pour tous. Personne ne produit de travail réel et on peut tenir n'importe quel imbécile d'un autre service responsable de tous ses problèmes. Passez simplement quelques coups de fil et attendez une aide qui ne viendra jamais. Lors de la réunion hebdomadaire, vous pourrez légitimement prétendre que pour l'instant vous avez fait tout votre possible.

Patron : « Avez-vous terminé la conception du produit ? »
Vous : « J'ai appelé mais personne ne m'a encore rappelé. »
Patron : « Ce n'est pas une excuse. »
Vous : « Que suggérez-vous ? »
Patron : « Si vous n'obtenez pas d'aide, faites-le moi savoir plus tôt. »
Vous : « J'ai essayé mais vous ne m'avez pas rappelé. »
Patron : « Maintenant, je suis au courant. Après la réunion, dites-moi qui ne vous a pas fourni l'aide nécessaire et je m'en occuperai. »
Vous : « Je vous appelle. »

LA BOÎTE VOCALE

La boîte vocale a plus que toute autre innovation contribué à libérer les salariés de leur travail. Avant la messagerie vocale, les gens répondaient personnellement au téléphone, ce qui les contraignait souvent à travailler davantage. Maintenant, on peut laisser sonner jusqu'à ce que l'appel soit basculé sur la boîte vocale. Cela présente trois avantages : on peut (1) échapper à un travail immédiat, (2) filtrer les messages pour éviter un futur travail et (3) donner l'impression d'être débordé !

Echantillon de message de boîte vocale

« Bonjour, c'est Scott Adams. Je ne peux pas prendre votre appel parce que je suis un pauvre employé martyrisé qui fait le travail de plusieurs personnes. Même si je meurs de fatigue, je suis sûr que la raison pour laquelle vous m'appelez est de la plus haute importance et mérite toute mon attention. Veuillez laisser un message détaillé afin que je puisse évaluer l'importance de votre requête par rapport aux six cents autres messages qui m'ont été adressés aujourd'hui. »

7

LES ÉVALUATIONS DE PERFORMANCE

LA FONCTION DE L'ÉVALUATION DE PERFORMANCE

L'entretien annuel d'évaluation est bien l'une des expériences les plus effrayantes et les plus dégradantes dans la vie d'un salarié.

Théoriquement, l'évaluation des performances peut se considérer comme un processus interactif positif entre un « entraîneur » et un employé qui s'efforcent ensemble d'atteindre la performance optimale. En réalité, c'est plutôt comme trouver un rat mort dans son jardin et se rendre compte que la meilleure solution consiste à l'envoyer sur le toit du voisin. L'odieux voisin ira ensuite le ramasser sur le toit pour le renvoyer à son tour, comme s'il en avait le droit. Finalement, personne n'est content, et encore moins le rat.

Théories mises à part, les véritables objectifs de votre patron en ce qui concerne l'évaluation de vos performances sont :

- Vous faire travailler comme un esclave romain dans un verger. *
- Obtenir des aveux signés de vos crimes contre la productivité.
- Justifier le faible montant de votre salaire.

En tant qu'employé, votre objectif consiste à soutirer autant d'argent que possible à l'entité froide et écrasante qui se fait passer pour votre employeur et vous presse comme un citron.

Heureusement pour vous, je suis de votre côté.

Ce chapitre vous enseignera comment louvoyer pendant l'entretien d'évaluation tout en remplissant vos poches de l'argent dû à vos collègues plus productifs (si ça leur pose un problème, ils n'ont qu'à s'acheter aussi un bon guide).

La stratégie de votre patron consiste en gros à vous amener à confesser vos points faibles. Il sautera dessus comme un pitbull sur le postérieur d'un intrus. Une fois le dossier établi, vos « défauts » feront le tour de tous vos futurs patrons, pour justifier l'absence d'augmentation tout au long de votre carrière.

Voici deux exemples d'employés qui se sont faits piéger.

* Je ne sais pas si les Romains employaient des esclaves dans les vergers mais si c'était le cas, leur travail consistait certainement à grimper à des échelles branlantes du bas desquelles tout le monde pouvait regarder sous leurs toges.

En direct de ma messagerie électronique...

De : (respect de l'anonymat)
Pour : scottadams@aol.com

Scott,

Dans ma société, nous devons remplir des formulaires d'évaluation. L'un d'eux comporte diverses catégories (créativité, initiatives, travail en équipe, etc.) avec des blancs dans lesquels on doit indiquer ses « points forts » et les domaines dans lesquels on a un « potentiel à exploiter ».

Comme je suis nouveau, je n'ai pas réfléchi et j'ai rempli mon formulaire en toute honnêteté, en essayant de trouver quelques bons domaines dans lesquels j'avais un potentiel à exploiter. Mais un collègue m'a arrêté en me disant que tout ce qui relevait du « potentiel à exploiter » était automatiquement resservi aux employés par la direction lorsqu'elle voulait leur fournir des exemples de mauvaises performances. Je n'ai vraiment pas besoin de ça puisque je suis déjà responsable de la collecte des fonds pour l'œuvre de charité que nous soutenons, et on sait ce que ça signifie.

De : (respect de l'anonymat)
Pour : scottadams@aol.com

Scott,

Quand je travaillais chez [entreprise], j'étais chef de projet. Dans le cadre de mes fonctions, on m'a demandé ce que je pensais des diagrammes en camembert, ce à quoi j'ai répondu que personnellement je les détestais. La question m'a été posée à plusieurs reprises par divers « supérieurs ».

Lors de mon suivant entretien d'évaluation, on m'a fait plusieurs commentaires négatifs sur mon « refus des camemberts ». J'ai indiqué à mon patron qu'on ne m'avait jamais demandé de faire des camemberts, mais simplement ce que j'en pensais. Naturellement, cela ne faisait aucune différence pour mon évaluation. Depuis, il est marqué sur mon dossier que je « refuse de faire des camemberts » !

Votre unique défense contre le « piège du potentiel » consiste à identifier ce que vous pouvez améliorer en vous sans que ça ait l'air grave :

- « Il faut que je devienne moins séduisant afin de ne plus distraire constamment mes collègues. »
- « Dans l'intérêt de l'équipe, je dois apprendre à contrôler mon immense intelligence en présence de mes collègues moins privilégiés. »
- « Je dois apprendre à me détendre au lieu de travailler dix-huit heures par jour. »
- « Il faut que j'entre en contact avec une civilisation extra-terrestre car leur technologie est la seule chose qu'il me reste à comprendre. »

STRATÉGIE POUR L'ENTRETIEN D'ÉVALUATION

Vous savez que vous méritez davantage d'argent à cause de ces deux faits indéniables :

1. Vous venez travailler régulièrement.
2. Voir ci-dessus.

Votre patron voit peut-être les choses autrement (l'imbécile !). Heureusement, plusieurs faits interviennent en votre faveur : (1) Votre patron est probablement trop paresseux pour rédiger votre évaluation sans vos propres « idées » et (2) il craint peut-être de vous voir fondre en larmes en public ou recourir à la violence. Ces atouts devraient vous permettre de tirer la situation à votre avantage.

RÉDIGER SA PROPRE ÉVALUATION

Votre patron vous demandera de lui fournir vous-même des exemples de vos performances afin qu'il puisse rédiger votre évaluation. Si vous n'y êtes pas préparé, vous aurez peut-être l'impression qu'il vous demande de creuser votre propre tombe. Une fois que vous aurez étudié ce chapitre, cela vous fera plutôt penser au fantasme du joaillier.

Fantasme du joaillier

Imaginez votre patron en joaillier riche mais stupide. Il vous laisse ses instructions avant de partir en vacances prolongées. « Lorsqu'il n'y aura personne, prenez les rubis rangés dans l'énorme sac à l'arrière et comptez-les. Voilà des années que je me demande combien il y en a. »

Une évaluation de performances, ça peut être comme un gros sac de rubis qu'on n'a jamais comptés. Peu importe leur nombre au départ, ce qui compte c'est celui que vous indiquez à votre patron. N'oubliez pas cette philosophie toute simple lorsque vous décrirez vos performances.

PETITS TUYAUX POUR LA DESCRIPTION DE SES PERFORMANCES

1. Certains font la folie de limiter leur liste de performances aux projets auxquels ils ont vraiment collaboré. C'est une erreur. N'oubliez pas l'intangible bénéfice d'avoir « songé à » un projet.

2. Peu importe que votre projet ait échoué, concentrez-vous sur le montant des sommes qui auraient été perdues si vous aviez fait quelque chose d'encore plus stupide. Ensuite, considérez la différence entre l'échec réel et le plus gros échec éventuel comme un « coût évité ».

3. Les sigles sont vos alliés. Ils impressionnent sans dévoiler la moindre information. Employez-les à volonté.

Patron : « Quelle a été votre contribution à ce projet ? »
Vous : « Principalement de l'AQ. J'ai aussi été SME pour le BU. »
Patron : « Hum... Très bien. Excellent travail. »

4. Si vous avez passé l'année à glander au fond de votre bureau, enrobez le tout avec les derniers termes à la mode. Dites que vous êtes quelqu'un de très motivé qui a proactivement réingénieré son stock personnel avec la qualité totale, en se conformant à toutes les normes NF, CE et ISO 9000. Soulignez votre engagement à poursuivre vos efforts durant la prochaine année fiscale.

5. Emaillez votre discours de témoignages non vérifiables. Votre patron est beaucoup trop feignant pour vérifier vos sources. Et comme votre dossier est confidentiel, la personne que vous citez n'a pas besoin de le savoir non plus.

6. Pour cette année, mentionnez tout ce que vous avez fait l'an dernier et tout ce que vous comptez faire l'an prochain. Les patrons n'ont aucune notion du temps. Si c'était le cas, ils ne vous demanderaient pas de réaliser en quinze jours ce qui demande six mois de travail. C'est l'occasion de tirer parti de cette petite faiblesse.

7. Reprenez à votre compte tout ce qu'a fait un employé qui porte un nom semblable au vôtre ou qui vous ressemble. Cela vaut la peine d'essayer et si vous êtes pris, vous n'avez qu'à dire « Je n'arrête pas de nous confondre » et changer rapidement de sujet.

PLANTER LE DÉCOR

Vous pouvez planter le décor de votre entretien d'évaluation en présentant à la moindre occasion vos performances en termes valorisants.

Voyez l'exemple suivant :

S'ENTOURER DE PERDANTS

Arrangez-vous pour travailler au sein d'un groupe de perdants. En général, les mauvais obtiennent de faibles augmentations, ce qui vous laisse largement de quoi faire. La pire des erreurs à commettre est de travailler dans un groupe de personnes hautement qualifiées. Voilà une situation qui ne rapportera rien à personne. Les ratés sont vos amis (au sens figuré).

Si vous n'avez pas de perdants dans votre groupe, aidez votre patron à en recruter quelques-uns, de préférence dans les domaines qui n'affecteront pas votre vie. Ce qu'il vous faut, ce sont des perdants qui dépendent du même budget mais qui ne soient pas trop près de vous, pour ne pas vous ennuyer toute la journée.

Je me souviens avoir connu de nombreux moments heureux après les réorganisations dans les entreprises où j'ai travaillé. Je me précipitais pour me procurer un exemplaire du nouvel organigramme, sautant pratiquement de joie à l'idée de connaître le nom des collègues qui allaient « financer » ma prochaine augmentation. Découvrir la présence d'un collègue incompétent dans son groupe c'est un peu comme trouver une pépite d'or dans son parterre de fleurs. C'est une manne qui vous épargne une surcharge de travail.

Alors, si vous pensez que la seule valeur des imbéciles sur cette terre est de soutenir l'industrie des plaques commémoratives, vous vous trompez ; ils contribuent aussi à payer votre salaire. C'est en cela qu'ils méritent un peu de respect.

L'ÉVALUATION À 360 DEGRÉS

Si vous avez la chance de pouvoir subir une « évaluation à 360 degrés » dans votre entreprise, c'est l'occasion de menacer votre patron de « destruction mutuelle assurée ». Dans ce type de système, chaque employé évalue à son tour ses subordonnés, ses collègues et (c'est le meilleur) ses insupportables chéfaillons.

Le secret pour profiter à fond du système est de vous arranger pour être la dernière personne à remplir les formulaires d'évaluation. Promenez-vous partout avec les formulaires sous le bras et sortez-les de temps en temps en disant des choses comme « Ça me fait penser.... » de la voix la plus sinistre possible.

Et n'oubliez pas d'enfoncer vos collègues. Chaque centime octroyé à l'un de vos collègues est un centime de moins pour votre budget. Vous aurez sans doute le sentiment d'être égoïste, mais n'oubliez pas que vos collègues gaspilleront cet argent dans des domaines aussi débiles que l'éducation et la santé, tandis que vous stimulerez l'économie en le dépensant pour des vêtements. Vous devez considérer les choses dans leur ensemble quand vous décidez de quantifier les « performances » de vos collègues.

LA RÉDACTION DE SES PROPRES PERFORMANCES

Votre patron dépréciera toujours les plus grands exploits que vous vous attribuerez dans vos suggestions pour l'évaluation de vos performances. Heureusement, il vise à l'aveuglette. Il n'a aucun moyen de savoir de combien il doit vous rabaisser. La meilleure stratégie consiste donc, c'est logique, à mentir comme un vendeur de chaussures obsédé par les pieds. *

Voici quelques recommandations sous forme de phrases que j'ai utilisées pour mes évaluations ; je les ai regroupées par catégories à la mode. Elles sont prêtes à être signées par votre patron, qui n'a alors absolument pas besoin de réfléchir.

L'employé fait-il preuve d'esprit d'équipe ?

Scott adore ses collègues autant que lui-même, quoiqu'il n'éprouve pas pour eux la même profonde attirance physique. On le trouve dans toutes les équipes, si ce n'est que par l'esprit ou parce qu'il s'en attribue simplement les mérites. Tel est son esprit d'équipe.

L'employé possède-t-il du talent pour la communication ?

Scott parle couramment dix-sept langues dont le dialecte africain avec le bruit de cliquetis qu'il combine avec le morse pour le traitement multitâche.

L'employé fait-il preuve de focalisation sur le client ?

Personne ne se focalise aussi intensément sur le client que Scott. Parfois, cela rend le client nerveux, surtout les femmes, mais nous pensons qu'elles aiment ça.

L'employé a-t-il l'étoffe d'un chef ?

Scott est un chef né. Les gens le suivent partout où il va ; ils l'observent aussi. Certains disent qu'il est paranoïaque, mais non, ce sont ses qualités de chef.

L'employé fait-il preuve d'un comportement moral ?

Certainement. Toujours. Par exemple, il n'exagère jamais ses performances afin d'obtenir de manière immorale une augmentation de

---

* A mon avis, tous les vendeurs de chaussures sont des obsédés des pieds pour la simple raison économique qu'ils sont prêts à travailler pour moins que les gens qui détestent les pieds. Ça explique pourquoi ils « oublient » votre pointure et ne cessent de proposer de vous la prendre.

salaire qui lui assure une rémunération conforme à la moyenne pratiquée sur le marché.

L'employé place-t-il haut la barre ?

Scott a des critères si élevés qu'il méprise les traînards qui l'entourent, ses soi-disant collègues. Il méprise encore plus les clients, qui n'ont apparemment pas pris le temps de faire jouer la concurrence.

Scott a de grandes espérances. Il a souvent exprimé sa volonté d'évoluer pour se transformer en énergie pure afin de régner sur l'univers entier. Il a encore beaucoup de chemin à faire, mais sa calvitie galopante ne peut être qu'un signe de ses rapides progrès.

L'employé fait-il participer les autres et leur délègue-t-il ses pouvoirs ?

Scott délègue ses pouvoirs à ceux qui l'entourent en leur confiant son travail dès qu'ils ne sont pas, à son avis, assez occupés. Parfois, il se débarrasse de tout son travail et doit alors inventer quelques petites choses afin que tout le monde ait de quoi s'occuper. Ses collègues ne risquent pas de s'en plaindre puisqu'ils se sentent autonomes.

L'employé se fixe-t-il des priorités ?

Scott connaît parfaitement ses priorités. Lorsque je lui ai demandé (moi son faible et laid patron) de travailler à son évaluation, il a raccroché au nez de son principal client et bondi sur son clavier comme une panthère.

L'employé comprend-il la vision de l'entreprise ?

Scott est la seule personne à avoir « vu » la vision de l'entreprise. Il dit qu'elle lui est apparue un soir dans la forêt et qu'elle est « difficile à expliquer » mais qu'il sait la reconnaître quand il la voit. Il est également revenu avec quelques « commandements » de Dieu gravés sur une plaque rocheuse.

(Pour l'anecdote, Scott est très bon en calligraphie, son écriture ressemble fortement à celle de Dieu !)

Résumé

Scott est un modèle parfait. Je rêve de lui ressembler davantage. Parfois, je le suis pour m'acheter les mêmes vêtements. De temps à autre, je fouille dans sa poubelle.

Une fois, je l'ai vu traverser un lac à pied pour soigner un cygne blessé. C'est l'amour incarné.

CONCLUSION

Si tout le reste échoue, essayez de vous abonner à Soldiers of Fortune *et faites-le vous livrer au bureau. Inutile de le lire, il vous suffit de le laisser traîner en évidence sur votre bureau. Accentuez la nervosité de votre patron en lui demandant « un bref congé pour régler quelques petits problèmes personnels ».

Si vous suivez bien mes conseils, à mon avis, votre prochain entretien d'évaluation débouchera sur une augmentation nettement supérieure à celle que vous méritez.

---

* *NdT.* Sans équivalent en France où sa diffusion est interdite Soldiers of Fortune est la revue des amateurs d'armes de guerre et autres lance-roquettes. La rubrique petites annonces offre régulièrement des missions ponctuelles aux mercenaires, voire aux tueurs à gages.

8

FAIRE SEMBLANT DE TRAVAILLER

Pour ce qui est de faire semblant de travailler, je dois avouer que j'ai été à très bonne école. Après avoir passé neuf ans chez Pacific Bell, j'ai appris quasiment tout ce qu'il faut savoir pour paraître occupé sans l'être vraiment. Tout au long de cette période, le cours des actions de Pacific Bell a régulièrement monté, je pense donc pouvoir en conclure qu'en évitant de travailler j'ai œuvré dans le meilleur intérêt de la société, ce dont je peux être fier.

Pour la toute première fois, je vais donc livrer mes secrets à tous ceux qui veulent retrouver la liberté en faisant semblant de travailler.

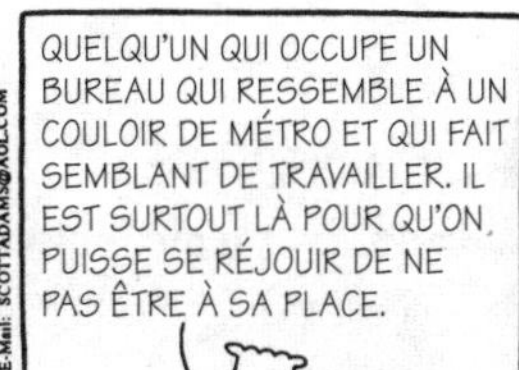

Le patron constitue le plus gros obstacle à l'oisiveté au bureau. En général, il pousse plutôt ses salariés à travailler jusqu'à l'agonie, mais pas au-delà. Sans doute trouvez-vous cette généralisation abusive ; d'un point de vue économique, il serait effectivement plus rentable pour lui de mettre un peu plus la pression sur les employés proches de la retraite.

En tant qu'employé, il vous faut donc mettre au point une stratégie de survie. Vous devez développer ces capacités qui vous donnent l'air productif sans que vous ayez véritablement à dépenser votre temps ou votre énergie. Il y va de votre vie.

D'après mes laborieuses recherches *, je conclus qu'il existe trois types d'employés :

1. Ceux qui travaillent dur quelle que soit la rémunération (les idiots).
2. Ceux qui évitent le travail, et semblent par conséquent paresseux (les idiots).
3. Ceux qui évitent le travail tout en réussissant à paraître productif (les heureux employés).

Le reste de ce chapitre est consacré à diverses stratégies spécifiques permettant de devenir un employé heureux aux frais de l'employeur ; de toute façon, il ne mérite pas quelqu'un d'aussi bien que vous.

ÊTRE LE CONSULTANT DE L'ÉQUIPE

Si vous ne pouvez pas être cadre, le meilleur moyen d'éviter le vrai travail c'est encore de « conseiller » ceux qui travaillent réellement. Pour devenir conseiller, il vous faudra sans doute devenir expert dans un domaine ou un

* Ça n'a pas été très long, mais particulièrement pénible.

autre mais n'en faites pas trop. Il vous suffit d'en savoir un pour cent de plus que les gens que vous conseillez pour passer pour une Marilyn vos Savant. *

Pour vous le prouver, envisageons l'hypothétique situation suivante : vous êtes en grande conversation avec Albert Einstein et tout à coup il semble avoir une illumination. Cet étrange incident le rend deux fois plus intelligent. Etes-vous capable de faire la différence ?

Lorsqu'une personne est plus intelligente que vous, peu importe si elle l'est d'un ou de mille pour cent. Dans tous les cas, vous serez bien incapable de voir la différence. Ne perdez pas votre temps à acquérir quantité de connaissances qui n'ajouteront rien à votre apparente valeur.

Les meilleures matières dans lesquelles il vaut la peine de devenir expert sont celles qui sont essentielles à de nombreux projets, superficielles en substance et prodigieusement ennuyeuses. Choisissez un domaine si rebutant que l'individu moyen qui s'y trouve confronté ait envie de se taper la tête contre les murs pour chasser l'ennui. Voici quelques suggestions correspondant à cette description :

1. La gestion des ressources
2. L'administration des bases de données
3. Le droit communautaire.

ÊTRE EN ATTENTE DE QUELQUE CHOSE

Cherchez à vous faire attribuer les missions qui impliquent une large participation de la part de collègues incompétents, de cadres débordés et de vendeurs hâbleurs. Si l'un d'eux fait une gaffe, vous n'obtiendrez pas les moyens dont vous avez besoin pour faire votre boulot. Il ne vous restera donc plus qu'à attendre que le temps passe. N'hésitez pas à encourager les faiblesses des autres en leur demandant ce qu'ils ont le moins de chances de pouvoir fournir :

- Demandez à des cadres analphabètes, plutôt portés sur les sports de plein air, de relire d'énormes dossiers dans les détails.
- Commandez des produits qui seront « rapidement disponibles » selon les dires du vendeur.
- Organisez des réunions avec des collègues qui n'ont aucune notion du temps.

Ces activités ont indubitablement l'air nécessaire et vous procurent de surcroît tout le temps libre dont vous rêvez.

---

* Marilyn vos Savant présente le QI le plus élevé du genre humain. Une fois, elle a réussi à faire le Rubik's Cube simplement en le menaçant du regard.

CHANGER FRÉQUEMMENT DE POSTE

Les profils de poste sont terriblement cumulatifs. Plus vous restez dans un poste, plus la charge de travail augmente, parce qu'on finit par vous connaître et savoir où vous trouver. Le pire étant que vous devenez de plus en plus compétent, ce qui ne peut que vous amener davantage de travail.

Changez de poste aussi souvent que possible. Ce qui d'abord vous permet de vous débarrasser des empoisonneurs qui ont votre numéro de téléphone. Et puis c'est l'occasion de s'improviser « conseiller » de quelque chose, et donc d'être moins débordé. Ne passez jamais plus de deux ans dans le même poste.

SE PLAINDRE CONSTAMMENT DE SA CHARGE DE TRAVAIL

Ne ratez jamais une occasion de vous plaindre qu'on vous en demande trop. Enfoncez le clou chaque fois que vous vous trouvez en présence d'un collègue ou d'un supérieur. Voici quelques phrases éprouvées, à glisser à bon escient dans la moindre conversation :

« Je n'ai pas levé le nez de la journée. »
« J'ai passé ma journée à courir à droite et à gauche. »
« J'avais encore mille cinq cents messages sur ma boîte vocale aujourd'hui. »
« J'ai l'impression qu'il va encore falloir que je vienne ce week-end. »

Avec le temps, ces messages finiront par s'installer dans le subconscient de tous ceux qui vous entourent. Ils en viendront à vous tenir pour un bourreau de travail sans en avoir jamais eu la moindre preuve concrète.

En d'autres termes, ne suivez pas l'exemple suivant :

LA BOÎTE VOCALE

Si vous possédez une boîte vocale, ne répondez jamais au téléphone. Il est très rare qu'on vous appelle pour rien ; en général, les gens vous appellent pour vous faire travailler pour eux. Ce n'est pas une vie. Filtrez tous vos appels grâce à elle.

Si quelqu'un vous laisse un message qui vous semble risquer de déboucher sur un quelconque travail, répondez pendant la pause déjeuner afin d'être sûr que votre interlocuteur ne soit pas là. Il comprendra que vous êtes débordé mais vous tiendra pour quelqu'un de consciencieux, alors qu'en réalité vous n'êtes qu'une misérable fouine.

Si vous appliquez scrupuleusement cette méthode, vous avez toutes les chances de voir votre interlocuteur abandonner l'idée de faire appel à vous et chercher une autre solution. « Oubliez mon dernier message. Je m'en occupe », voilà le plus doux des messages qu'on puisse vous laisser sur votre boîte vocale.

Si votre boîte vocale n'accepte qu'un nombre limité de messages, arrangez-vous pour que la limite soit atteinte fréquemment. Pour ce faire, vous pouvez notamment ne jamais effacer les anciens messages. Si cela prend trop de temps, laissez-vous quelques messages vous-même. Vos interlocuteurs s'entendront annoncer :

« Désolé, la boîte vocale est saturée », signe indéniable que vous êtes un employé hors pair extrêmement demandé.

Si vous vous réveillez au milieu de la nuit pour soulager une envie pressante, profitez-en pour laisser un message sur la boîte vocale de votre patron. L'heure sera automatiquement enregistrée, ce qui ne fera que renforcer l'idée que vous ne vous arrêtez jamais de travailler. Pour faire plus vrai, buvez une petite bière avant de vous mettre au lit.

Certaines boîtes vocales activent automatiquement votre Alphapage quand vous recevez un message. D'autres vous permettent de programmer l'envoi d'un message. (Je suis sûr que vous voyez où je veux en venir).

Si vous devez assister à une réunion superfétatoire, programmez la boîte vocale pour qu'elle vous envoie un message pendant la réunion et active ainsi votre Alphapage.

Laissez ce dernier branché sur le bip pour que tout le monde sache qu'on vous appelle. Prenez l'air affolé à la vue du numéro qui s'affiche, puis excusez-vous rapidement. Grommelez un « Oh mince... » en sortant précipitamment.

ARRIVER AU BUREAU ET EN PARTIR

Arrivez toujours au bureau avant votre patron. Si cela vous est impossible, partez après lui. Si vous arrivez avant lui, vous pouvez prétendre en toute quiétude que vous êtes là depuis quatre heures du matin. Si vous partez après lui, vous pouvez affirmer être resté jusqu'à minuit.

Vos collègues sont les seuls à pouvoir vous dénoncer. Mieux vaut donc les avertir que vous surveillez aussi leurs allées et venues. Ainsi, chacun est sûr de rester « honnête ».

MAINTENIR UN SAVANT DÉSORDRE SUR SON BUREAU

Les cadres supérieurs, eux, peuvent se permettre d'avoir un bureau bien rangé. En ce qui concerne le reste des employés, ça donne plutôt l'impression de ne pas beaucoup travailler. N'hésitez pas à entasser des piles de dossiers un peu partout. Le simple observateur ne verra aucune différence entre une année et une journée de travail, c'est le volume qui compte.

Si vous savez que quelqu'un doit venir vous voir à votre bureau, enterrez le dossier dont vous aurez besoin au beau milieu d'une pile et faites semblant de le chercher à son arrivée.

ARRIVÉES ET DÉPARTS EN RÉUNION

Arrivez toujours en retard aux réunions et partez avant la fin. C'est un bon moyen d'insinuer qu'on est tellement occupé qu'il est impossible de tout faire à la fois. La première partie d'une réunion ne sert généralement à rien et la dernière partie concerne la répartition des tâches. C'est forcément du temps perdu pour quelqu'un d'aussi débordé que vous.

ETUDIER LA CHOSE

Trouvez-vous un poste qui vous permette d'« analyser » ou d'« évaluer » quelque chose au lieu d'avoir à « faire » réellement quelque chose. Le fait d'évaluer vous amène à critiquer le travail des autres. Si vous « faites » quelque chose, ce sont les autres qui auront l'occasion de vous critiquer.

Souvent, les critères de rendement ne sont pas très clairs en ce qui concerne les travaux d'analyse. Vous pouvez donc prendre votre temps et savourer les erreurs de ces gens qui sont assez fous pour « faire » quelque chose.

TRAVAILLER SUR DES PROJETS À LONG TERME

Il est assez facile de cacher sa paresse lorsqu'on collabore à un projet à long terme. On peut toujours remettre au lendemain ce qu'on n'a pas pu faire le jour même. Et pour être réaliste, le projet a de toute façon toutes les chances d'être annulé ou modifié au-delà de toute reconnaissance avant d'être terminé ; alors, il n'y a aucun mal à ne pas faire sa part de travail.

Evitez à tout prix les projets à court terme. Ils ne vous causeront que des ennuis. Les gens veulent des résultats, ils attendent donc de vous que vous travailliez tard pour respecter les délais. Vous ne voulez pas de tous ces tracas.

AVOIR L'AIR INCOMPÉTENT

Rien n'est plus efficace pour faire fuir le travail que la pure incompétence. Plus vous semblerez incompétent, moins on vous donnera de travail. Cela ne va pas sans risque, comme vous pouvez l'imaginer. Vous risquez notamment d'être pris pour un imbécile et d'obtenir une promotion au rang de cadre. Mais en dehors de ça, c'est une stratégie relativement sûre.

ÉVITER LES TÂCHES SANS IMPORTANCE

Le patron moyen élabore pour ses employés une foultitude de tâches sans importance. La plupart d'entre elles sont attribuées à ceux qui ont la chance de faire partie de l'une des catégories suivantes :

- La personne la plus proche du bureau du patron
- La première personne qui pose une question
- La première personne qui se présente dans le bureau du patron.

Il est hautement déconseillé de demander quoi que ce soit qui ne concerne le profil de votre poste. Si vous posez des questions, on comprendra que vous avez envie de prendre en charge de nouvelles tâches. Le simple fait de poser une question vous élève à la position « la plus à même » d'effectuer toutes les tâches les plus négligeables dans le domaine en question.

Aux yeux du patron, l'infortuné subordonné dont le bureau est le plus proche du sien fait office de « bac de sortie » géant. Evitez le bureau « bac de sortie » même s'il vous faut pour cela coucher avec le responsable administratif. * C'est une condamnation à la réclusion. Au moindre bruit de pas, vous devez faire semblant de travailler. La moindre peccadille atterrit sur votre bureau avec un petit post-it griffonné par le patron. L'entreprise associe votre valeur à un flot de tâches sans aucune importance. Votre carrière ne se relèvera jamais d'un bureau mal placé.

N'entrez jamais dans le bureau du patron à moins de nécessité absolue. Tous les patrons réservent un coin de leur bureau aux tâches subalternes qu'ils distribuent comme des bons points à leurs visiteurs.

* Encore une bonne raison pour faire carrière dans la gestion des ressources.

Limitez votre commerce avec le chef à la boîte vocale ou à la messagerie électronique, vous éviterez ainsi les « récompenses » qui reviendront aux moins débrouillards.

PLANIFIER STRATÉGIQUEMENT SES VACANCES

Pour finir, gardez un peu de vacances pour une période où vous en aurez besoin d'un point de vue stratégique.

9

LE JURON

Clé de la réussite pour les femmes

Chez les hommes, proférer des jurons permet de créer des liens avec ses congénères. En revanche, cela ne contribue à la réussite en entreprise que dans une très faible mesure. Tout le monde sait que l'homme jure, ce qui, donc, ne signifie pas grand-chose. Et ne provoque aucun choc.

Lorsque, par exemple, un homme entre dans le bureau d'un autre pour lui remettre un dossier, il s'entend généralement répondre : « Oh, tu sais où tu peux te le foutre, ton dossier ! »

Ensuite ils s'esclaffent, crachent un coup et échangent quelques bons mots sur les « nichons », créant ainsi un lien éternel et inaltérable. * Il n'y a certes pas de quoi être fier, mais, entre hommes, le juron a sa place. Et pas fatalement la dernière.

Chez les femmes, c'est très différent. Les « gros mots » peuvent choquer dans la bouche d'une femme, en tout cas ils attirent l'attention. En ce qui la concerne, ils sont l'expression du pouvoir et de sa propre indifférence pour les limites. Ils sont également le second facteur de réussite par ordre d'importance.

* À moins que les « nichons » soient impliqués dans l'affaire.

Facteurs de réussite pour la femme

1. Les relations
2. Les gros mots
3. La formation
4. Les résultats.

J'en suis arrivé à cette conclusion après avoir observé un – petit j'en conviens – échantillon de cadres supérieurs féminins qui juraient encore plus que des pirates blessés. *

Et si cet échantillon était de si petite taille, ce n'est absolument pas ma faute. Mais plutôt celle des barrières invisibles qu'il faut franchir pour accéder au sommet de la pyramide. Et on ne peut certainement pas m'en tenir pour responsable puisque j'ai passé toute ma carrière de salarié au bas de l'échelle. Alors ne commencez pas, hein !

Pour comprendre comment les gros mots aident les femmes, imaginons les situations suivantes :

Scénario n°1 (sans jurons)

Un homme entre dans le bureau d'une femme pour lui remettre un rapport. La femme répond : « Euh, je suis occupée pour le moment. » Sans se laisser démonter, l'homme s'assied et grignote ainsi une heure sur le précieux temps de la dame. La productivité de celle-ci finit par être engloutie par un interminable défilé d'hommes qui préfèrent venir faire la causette dans son bureau que travailler. Sa carrière entame une descente vertigineuse qui se termine finalement dans la rue.

Et si elle n'apprend pas à jurer, elle n'aura guère plus d'avenir dans la rue.

Maintenant, supposons que cette même femme est une adepte du juron bien senti. Le scénario se déroulerait ainsi :

Scénario n°2 (avec jurons)

Un homme entre dans son bureau pour lui remettre un rapport. Elle répond : « Oh, vous savez où vous pouvez vous le mettre ! » Sur le moment, l'homme reste interloqué. Il est peu probable qu'il s'asseye. Il

---

* Et je ne parle évidemment pas d'une blessure physique mais de ce moment difficile où vous venez de faire l'acquisition d'une jambe de bois et où vous êtes dans l'obligation de liquider votre perroquet parce qu'il se prend pour Woody Woodpecker.

ne ressent pas non plus d'affinité avec elle. Il bat sans doute retraite en douceur. La productivité de la dame monte en flèche.

Les répercussions ? La femme aura peut-être un jour besoin de demander un service à l'homme qu'elle aura insulté. Heureusement pour elle, tous les hommes sont formés dès la naissance à accepter les agressions verbales des femmes et à s'en remettre rapidement.

De plus, dans l'éventualité improbable où l'homme ferait preuve d'une quelconque hésitation à se montrer serviable, la situation pourrait se régler à l'avenir grâce à une technique de communication très simple : « Si vous ne faites pas ça immédiatement je vous arrache les couilles et je vous les fais avaler. »

Il existe trois autres scénarios que l'on peut aisément résumer comme suit :

Action	**Résultat**
Homme insultant une femme	Six ans de prison
Femme insultant une femme	Comment le saurais-je ?
Personne insultant un ordinateur	Meilleur fonctionnement

10

COMMENT ARRIVER A SES FINS

Ce chapitre propose quelques stratégies permettant d'arriver à ses fins. Certes, elles ne vous propulseront pas au sommet, mais si vous les employez à bon escient vous tirerez peut-être quelque satisfaction des idiots qui vous entourent.

L'avantage, avec les imbéciles, c'est qu'on les dupe facilement. Je traiterai plus amplement ce sujet dans mon prochain ouvrage, que j'intitulerai sans doute : Hé, pourquoi acheter encore un de ces bouquins ?

Réussir n'est pas la chose la plus importante dans l'entreprise. Il faut aussi devenir riche, sinon cela ne vaut vraiment pas la peine. Si la fortune est la seule chose qui vous importe, je vous recommande la carrière de majordome. Trouvez-vous une place au service d'un milliardaire âgé ayant perdu toutes ses capacités sauf sa belle écriture. S'il vous est impossible de devenir riche, la meilleure chose à faire est de recourir à la suffisance et au cynisme. Terrains où ces stratégies peuvent se révéler utiles.

MANŒUVRE DE LA DERNIÈRE SUGGESTION

Durant des années je me suis servi de la « manœuvre de la dernière suggestion » dans les réunions où je savais que les avis allaient varier et que seule ma propre opinion avait une quelconque valeur. Autrement dit, j'y ai eu systématiquement recours dans toutes les réunions auxquelles j'ai assisté. Le taux de réussite de cette méthode est particulièrement surprenant. Tant mieux pour vous, parce que la zone « taux de réussite peu surprenant » couvre un grand nombre de stratégies que vous vous passerez d'essayer.

Stratégies peu surprenantes

- Jouer les personnages du musée Grévin.
- Porter des protège-sièges de toilettes en guise de cravate.
- Parler en verlan pour « attirer l'attention ».
- Pratiquer la chiropractie à son bureau.

Contrairement à ces stratégies qui ne vous mèneront nulle part, la manœuvre de la dernière suggestion peut marcher pour vous.

Manœuvre de la dernière suggestion

1. Laissez tout le monde faire des suggestions idiotes.
2. Restez à l'écart pendant que les autres participants descendent en flamme les suggestions des autres. Observez la naissance d'antipathies qui dureront le temps de leurs carrières.
3. Vers la fin du temps imparti à la réunion, les esprits sont vides et les vessies pleines, proposez votre idée.
   Présentez-la comme le fruit direct des formidables suggestions émises durant la réunion, aussi ridicule que cela puisse vous paraître.

Si vous avez bien choisi votre moment, tous les participants, éprouvant un épouvantable sentiment de frustration et de malaise physique, se rendront compte que votre suggestion est le moyen le plus rapide de mettre un terme à l'enfer de cette réunion. En faisant croire que votre idée est une synthèse de toutes les propositions faites par les autres, vous minimiserez leur besoin de vous agresser pour défendre leurs positions.

Vous aurez l'air digne du roi Salomon tandis que les autres auront l'air triste des deux mères geignardes. Le seul inconvénient, c'est que vous ne pourrez pas vous attribuer le mérite d'avoir eu personnellement l'idée si elle marche. Mais ce n'est généralement pas un problème puisque la plupart des idées sont mauvaises. Et que de toute façon votre chef a l'habitude de s'attribuer le mérite des bonnes.

USER DE SARCASMES POUR ARRIVER À SES FINS

Par définition, les gens qui ont de mauvaises idées ne peuvent pas être influencés par la logique. S'ils étaient logiques, ils n'auraient pas de mauvaises idées, à moins que leurs idées reposent sur des faits erronés. Cela vous laisse deux stratégies possibles pour contrecarrer une idée absurde et arriver à vos fins :

- Argumentez, faits à l'appui. Faites des recherches approfondies afin de pouvoir démontrer les faiblesses des suppositions de votre interlocuteur.
- Moquez-vous de l'idée en termes sarcastiques et faites passer son auteur pour un imbécile.

Si l'option « recherches approfondies » vous tente, vous avez vraiment beaucoup de temps à perdre. De plus, elle ne sera efficace que si vous avez affaire à un collègue logique et prêt à reconnaître son erreur. Et tant que vous y êtes, pourquoi ne pas vous mettre à chercher un trèfle à quatre feuilles (notez la brillante utilisation du sarcasme pour démontrer l'absurdité de cette méthode).

La deuxième possibilité, le recours au sarcasme, réserve davantage de flexibilité. Elle fonctionne dans tous les cas, que la personne à manipuler dispose de données erronées ou d'un faible cerveau. Faites appel à son sentiment de crainte et d'insécurité. Usez de sarcasmes pour souligner le ridicule auquel elle risque de s'exposer.

Afin de mieux comprendre, prenons un exemple. Supposons que votre idiot de chef suggère que les employés consciencieux soient récompensés par une médaille. Voici comment employer le sarcasme pour l'en dissuader.

EXEMPLE DU POUVOIR DU SARCASME

Vous : « Avant, je pensais que tous les problèmes chez nous étaient dus à une mauvaise gestion et à un système de rémunération inapproprié. »

Patron : « C'est une erreur fréquente. »

Vous : « Maintenant je me rends compte qu'en fait on manquait de médailles. »

Patron : « Hum... »

Vous : « Ce qui me plaît le plus, c'est qu'à chaque fois qu'une personne reçoit une médaille, il y en a cinquante qui n'en reçoivent pas, ça incite à fournir « un effort supplémentaire » !

Patron : « Je crois que je comprends ce que vous essayez de... »

Vous : « Je veux mériter cette médaille ! Et je ne reculerai devant rien ! »

Patron : « D'accord, j'ai compris... »

Vous : « Que diriez-vous si je restais un peu plus tard ce soir pour cirer les tables de la salle de conférence avec mes cheveux ? »

MANŒUVRE DE LA VISION GLOBALE DES CHOSES

La théorie de la manœuvre de la vision globale des choses repose sur un postulat simple : chaque salarié s'efforce d'être celui qui a tout compris et pense que les autres sont des perdants parce qu'ils sont myopes. Vos collègues essaieront toujours de vous montrer qu'ils ont mieux compris que vous. Vous pouvez les manipuler en profitant de cette propension.

Supposons que vous veniez de dépenser un million de francs sur un projet qui a eu autant de succès qu'une folie bergère pocharde de quatre-vingt-dix ans. Vous assistez à une réunion avec une brochette de vautours qui rêvent de passer toute la séance à vous mettre le nez dans votre caca. Votre mission, si vous l'acceptez, consiste à échapper à ce sort et même, avec un peu de chance, à améliorer votre position. Voici le moment où la manœuvre de la vision globale des choses devient indispensable.

La scène pourrait se dérouler ainsi :

Vous : « J'ai dépensé un million de francs mais le projet n'a pas abouti. »

Richard : « Tu as claqué un million de francs !! »

Hélène : « Mais qu'est-ce que tu croyais ? »

Bernard : « Quoooooi !!! Il n'y avait donc personne pour gérer ce truc ??? »

Vous (l'air d'avoir tout compris) : « Un million de francs ce n'est rien quand on pense au budget global de la recherche et du développement. Ici, on sait prendre des risques. »

(A ce moment, les autres participants se rendent compte qu'ils se sont fait contourner grâce à la manœuvre de la vision globale des choses, alors ils tentent de se défendre tant bien que mal).

Richard : « Pour un petit million de francs, on en aura déjà appris pas mal. »
Hélène : « Par rapport au PNB, ce n'est qu'une petite erreur d'arrondi. »
Bernard : « On peut passer aux choses sérieuses maintenant ? »

STRATÉGIE DU DINOSAURE

La stratégie du dinosaure consiste à ne tenir aucun compte des nouvelles directives en matière de management pour mieux s'appliquer à continuer de faire comme avant.

La réussite de cette stratégie tient à ce fait qu'il faut généralement six mois à un patron pour se rendre compte de la moindre résistance et s'en offusquer. Par pure coïncidence, c'est à peu près le temps qu'il reste en poste.

Un organigramme a une durée de vie moyenne de six mois. Vous pouvez sans crainte ne tenir aucun compte des ordres qu'il vous faudra six mois pour exécuter. Autrement dit, le contexte aura changé avant que vous n'ayez eu le temps de faire quoi que ce soit. Vous pouvez tout à fait vous contenter de mâcher des feuilles et batifoler parmi les cendres volcaniques pendant que vos chefs se succèdent.

Si vous attendez suffisamment longtemps, les mauvaises idées finiront par disparaître de la surface de la Terre. La plupart des bonnes aussi. Alors, si vous n'avez le temps de ne rôder qu'une seule stratégie, voici celle que je vous recommande.

Exemple de la stratégie du dinosaure

De : (respect de l'anonymat)
Pour : scottadams@aol.com

Scott,

Lorsqu'elle est confrontée à un problème de gestion, la direction, qui n'a pas la moindre idée de ce qu'elle devrait faire mais a le sentiment qu'il faut faire quelque chose, donne toujours l'impression d'avoir recours à la terrifiante base de données. Naturellement, elle n'a aucune stratégie pour véritablement utiliser cette base de données, mais le simple fait d'en créer une semble l'occuper (pour un moment) au grand soulagement des ingénieurs.

La première note explique pourquoi la nouvelle base de données solutionnera tous nos problèmes.

La suivante explique que la base de données est une grande entreprise qui nécessite la coopération de chacun afin de « donner forme à la vision du futur ».

Les quelques notes suivantes expliquent que la création de la base de données est toujours en cours et que les choses se précisent.

Ensuite, les notes fournissent des exemples de ce que la base de données peut produire, avec une petite réserve concernant le fait que les données ne sont pas encore suffisamment complètes pour produire des résultats éloquents.

Les notes suivantes expliquent que le recueil des données prend plus de temps que prévu parce que les ingénieurs ne remettent pas leurs travaux dans les délais.

Les ingénieurs continuent à ne tenir aucun compte des notes et des réprimandes.

Tout finit par se calmer et la base de données disparaît de l'horizon.

11

LE MARKETING ET LA COMMUNICATION

Je peux me targuer de quelque autorité en matière de marketing pour avoir, une fois, suivi un cours. Par ailleurs, j'ai acheté de nombreux produits.

Pour le béotien, il paraît sans doute possible de résumer la discipline en une simple phrase comme la suivante :

> Si vous en baissiez le prix, vous en vendriez davantage.

Pourtant c'est une simplification extrême qui fait insulte aux professionnels et fait table rase de siècles d'accumulation de connaissances sur les subtiles complexités de l'art.

Qui sont :

- Si vous en augmentiez le prix, vous en vendriez moins.
- De quoi ai-je l'air dans ce costume ?

Le service marketing a recours à de multiples techniques de pointe pour favoriser la rencontre entre les produits et les acheteurs de manière à optimiser les bénéfices. Par exemple, ils distribuent des porte-clés.

Mais ce n'est pas tout. Pour vous faciliter la tâche, voici résumés les principaux concepts du marketing afin de vous épargner un cours pénible. Tout le plaisir est pour moi.

LA SEGMENTATION DU MARCHÉ

Tous les clients veulent le meilleur produit au meilleur prix. Heureusement, une grande partie d'entre eux sont incapables de faire la différence entre la fine soie d'Asie et le Sopalin. Aussi lamentable votre produit soit-il, il y aura toujours quelqu'un pour l'acheter, soit parce qu'il ne verra pas la différence, soit parce qu'il n'aura pas le choix. La fonction du marketing consiste à identifier ces « segments », à coller un aspirateur dans leurs poches et aspirer jusqu'à ce qu'il n'en sorte plus que des pluches.

Le terme de segmentation du marché peut sembler complexe. Pourtant, c'est la même chose que ce que vous faisiez dans votre enfance pour choisir les membres de votre équipe. Vous évaluiez chaque joueur potentiel selon des caractéristiques objectives telles que la vitesse, la force et le talent. Si ces caractéristiques ne vous permettaient pas d'aboutir à un choix concluant, vous continuiez à segmenter le groupe en fonction du taux d'acné et du niveau de popularité. Les enfants qui présentaient le plus grand nombre des premières caractéristiques étaient placés dans le « segment équipe », tandis que les autres devenaient le segment du marché le plus susceptible d'avoir à s'acheter des poupées gonflables en grandissant. Ce n'est pas plus compliqué.

Le segment de marché le plus important est celui des « riches imbéciles », ainsi nommé en raison de la tendance de ces clients à acheter n'importe quoi sans se préoccuper ni du coût ni de l'utilité de leur achat. Si vous pouvez vendre suffisamment d'unités aux riches imbéciles, vos coûts de production à l'unité diminueront. Ensuite, vous pourrez baisser vos prix et vendre aux pauvres stupides, et là vous ferez du volume.

Mieux vaut éviter de concevoir un produit pour les pauvres intelligents ou les riches intelligents. Les premiers trouvent toujours un moyen de vous voler votre produit tandis que les seconds vous rachètent d'abord votre entreprise et vous licencient ensuite. En règle générale, les gens intelligents constituent un segment de marché embarrassant. Heureusement, ils n'existent pas.

LA DIFFÉRENCIATION DU PRODUIT

Le meilleur moyen de différencier votre produit, c'est de faire en sorte qu'il soit le meilleur de sa catégorie. Mais il ne peut y avoir qu'un seul meilleur produit dans chaque catégorie. Et si vous lisez ce livre, c'est certainement que vous ne travaillez pas pour cette société. Alors inutile d'approfondir cette stratégie.

Supposons que vous vendiez un produit qui ressemble en tous points à d'autres, comme les assurances, les cartes de crédit ou les prêts immobiliers. Vous pouvez faire en sorte que votre produit ait l'air intéressant en déguisant les coûts réels, ensuite vous n'avez qu'à prétendre qu'il est moins cher que les autres.

Voici quelques exemples de bonnes techniques pour masquer le coût réel d'un produit :

Masquer les coûts

- Lier les paiements à d'exotiques taux d'intérêts comme le taux zambien des obligations flottantes.
- Proposer des plans de réduction si confus que même Nostradamus lèverait les bras au ciel en disant : « Aucune idée. Ma langue au chat. »
- Distribuer des bons de réduction rachetables grâce à une procédure des plus compliquées combinant les pires aspects de la course au trésor, de la déclaration d'impôt et du recyclage.
- Comparer son hypothèse la plus basse à l'hypothèse la plus haute du concurrent.
- Proposer des options de leasing à des nuls en maths.
- Imposer des pénalités monstrueuses aux clients qui oublient leurs remboursements. Une fois par an, omettre d'envoyer une facture au client.
- Offrir d'énormes réductions pour les versements initiaux, puis pratiquer d'obscènes augmentations de prix. Faire en sorte qu'il soit impossible pour le client de s'en sortir une fois pris au piège.
- Vendre le produit sans aucune des caractéristiques qui le rendraient utile, comme les ordinateurs sans clavier ni mémoire vive.

LA MAGIE DU MARKETING

Il peut arriver que votre entreprise propose un mauvais produit à un prix élevé. C'est alors qu'entre en jeu la vraie magie du marketing. Il n'est plus question d'essayer d'éduquer le consommateur, mais de l'arnaquer totalement.

Si vous éprouvez quelque remords face à ce genre de situation, pensez au slogan des professionnels du marketing :

« Nous n'arnaquons pas le client. Nous nous contentons de le distraire pendant que le vendeur l'arnaque. »

Grâce au ciel, le client ne se rend compte de rien. La confusion est votre amie. Profitez de la clientèle générée par vos concurrents et créez des produits étrangement similaires, en beaucoup moins bien.

Exemples

Walkman Somy
Pigeot 306
Porch 911
Harry Davidson
Popsi Cola.

LA PUBLICITÉ

Une publicité bien faite peut amener les gens à acheter votre produit même s'il est vraiment nul. C'est important, car vous échappez à la pression d'avoir à sortir de bons produits. Un franc consacré au lavage de cerveau est plus rentable qu'un franc dépensé à l'amélioration du produit.

Manifestement, il existe une qualité minimum pour tous les produits. Ils doivent pouvoir supporter le transport sans devenir méconnaissables. Mais une fois ce minimum atteint, c'est la publicité qui fait toute la différence.

Une bonne campagne publicitaire est conçue pour un public précis. Il y a notamment une énorme différence entre le genre de message qui marche pour les hommes et celui qui marche pour les femmes.

Les hommes sont des êtres prévisibles. Ce qui facilite la recherche d'un message efficace. Toutes les campagnes réussies visant les hommes incluent l'un des deux messages suivants :

1. Ce produit vous permettra de sortir avec des mannequins.
2. Ce produit vous permettra de gagner du temps et de l'argent, ce dont vous aurez besoin si vous voulez sortir avec des mannequins.

Comparées aux hommes un peu simples d'esprit et bestiaux, les femmes sont beaucoup plus compliquées. Votre message publicitaire doit s'adresser à l'éventail plus large de leurs centres d'intérêts intellectuels et de leurs préférences esthétiques. Pour être plus précis, il doit dire :

1. Si vous achetez ce produit, vous serez un mannequin.

Renforcez votre communication sur la « qualité » en citant des spécialistes qui disent du bien de votre produit. Certains insisteront pour le voir avant d'en parler ; débarrassez-vous en. Ce qu'il vous faut c'est le type d'expert que l'on peut influencer grâce à un bon repas et une petite brochure.

Ne vous prenez pas la tête à essayer d'amener votre spécialiste à vous fournir le commentaire idéal. Dans la publicité comme dans le journalisme, vous pouvez tout à fait reformuler les citations sous prétexte d'une meilleure lisibilité. En fait, vous pouvez créer des phrases totalement nouvelles en employant des mots que le spécialiste n'a jamais prononcés. Techniquement parlant, il s'agit toujours d'une citation. La majeure partie de vos journaux préférés ont recours à cette méthode. Pourquoi pas vous ?

Citation littérale d'origine

« La défaillance de qualité, voire l'indifférence totale à l'égard du marché est évidente en ce qui concerne ce produit. »

Citation publiée

« La — qualité — est évidente en ce qui concerne ce produit. »

COMPRENDRE LE CLIENT

Il est essentiel que vous compreniez le client. Cela ne changera pas grand-chose pour votre produit, puisque ces décisions-là sont motivées par la politique interne, mais c'est nécessaire si vous voulez adopter l'attitude du « je suis plus focalisé sur le client que toi » en réunion.

Pour comprendre le client, il faut avant tout se réunir entre spécialistes du marketing et discuter de ce qu'on ferait si on était suffisamment bête pour être client.

Ce qui pourrait ressembler à :

Spécialiste n°1 : « Vous et moi, on préfère avoir de la viande dans notre assiette, mais le consommateur moyen n'est pas aussi délicat. »

Spécialiste n°2 : « J'ai entendu parler d'un type qui mange des ampoules et des clous. »

Spécialiste n°1 : « Exactement. Ils se moquent totalement de ce qu'ils mangent. »

Spécialiste n°2 : « Alors, on pourrait leur servir des crottes de nez, des ongles de pied et autres [explétif supprimé] sans qu'ils s'en aperçoivent. »

Spécialiste n°1 : « Si ça se trouve, ils nous seraient même reconnaissants de leur faire faire des économies. »

Spécialiste n°2 : « Cette analyse de marché m'a épuisé. Ça te dirait un petit steak ? »

Spécialiste n°1 : « Je suis végétarien. »

Si vous avez déjà rencontré un client dans la réalité, généralisez le comportement de tous les clients à partir de cet exemple. Si vous n'en avez jamais rencontré, rapportez les propos de quelqu'un ayant eu ce privilège en ajoutant, le cas échéant, vos petits commentaires.

Avec le temps, cette unique anecdote aura été suffisamment racontée et modifiée pour faire partie de la culture de base du pékin moyen en matière de marketing client.

Histoire vraie : un client d'une grande compagnie de téléphone se plaint parce qu'il lui a été impossible de connaître son numéro parce qu'il avait demandé à être sur la liste rouge. Plus on raconte cette anecdote, plus il apparaît évident que « de nombreux clients » ont besoin de connaître leur numéro de téléphone. Un cadre ne cesse de faire référence à la « pile de demandes » qui s'entasse sur son bureau. Finalement, la demande de la clientèle est devenue si importante qu'un simple subalterne est missionné sur le projet de construction d'un laboratoire de plusieurs millions pour résoudre le problème. Mais, chaque fois qu'il tente de vérifier l'énormité de la demande, ça le ramène au premier client, qui a résolu le problème depuis longtemps. L'employé reçoit néanmoins l'ordre de construire le laboratoire car il doit bien y avoir d'autres clients comme le premier. Le projet est finalement abandonné pour des raisons politiques. Le subalterne finit par quitter l'entreprise de téléphone pour devenir un humoriste.

Vous pouvez faire appel aux « groupes de focalisation » (focus group) pour réduire l'éventail de vos recherches. Il s'agit de groupes de personnes sélectionnées sur la base de leur inexplicable disponibilité et de leur passion commune pour les sandwiches gratuits. On les met dans une pièce où un animateur professionnel leur pose toute une série de questions.

Pour la plupart d'entre eux, c'est la première fois qu'on leur donne à manger et qu'on les écoute le même jour. Ce qui donne parfois lieu à d'étranges comportements. Ils commencent par se plaindre avec véhémence de choses qui ne les avaient jamais vraiment dérangées auparavant. Ensuite, ils suggèrent des caractéristiques de produit qui ne les inciteraient jamais à acheter.

Personne n°1 : « Si ma brosse à dents était munie d'une brosse pour chien à l'autre extrémité je pourrais me brosser les dents et brosser mon chihuahua en même temps. Voilà un produit que j'achèterais. »

Personne n°2 : « Oui, oui ! Et il pourrait y avoir un autre accessoire pour cirer la voiture en même temps. Je l'achèterais. Si j'avais une voiture. »

Personne n°3 : « Super, oui ! Et si la brosse à dents démarrait aussi la voiture ? Ou mieux encore, la voiture de quelqu'un d'autre ? »

Au bout d'un moment, emportés par les délices des sandwiches gratuits et de toute l'attention qu'on leur porte, les participants du groupe de focalisation font des suggestions formidables qui vont à jamais changer le cours de la vie de votre entreprise.

A moins que vous ne tombiez sur un mauvais lot, auquel cas ils mangeront vos sandwiches, râleront contre vous et partiront.

Vous voilà prêt pour l'étude de marché.

L'ÉTUDE DE MARCHÉ

Dans des temps plus reculés, les entreprises devaient procéder par tâtonnements pour trouver ce que désirait la clientèle. C'était avant l'invention de l'étude de marché, qui a transformé ce mélange savant de devinettes et de sélection naturelle en une procédure scientifique hautement affinée.

L'étude de marché est possible depuis qu'on a découvert que le consommateur, lorsqu'il achète quelque chose, fait appel à son bon sens et à sa logique. Si vous avez compris ça, il ne vous reste plus qu'à concevoir une enquête parfaitement objective et à demander ce qu'il veut à un échantillon représentatif de la population.

Voici quelques-unes des études de marché les plus réussies, directement responsables de la création de produits et de services formidablement populaires, qui n'auraient pas pu voir le jour sans elles.

EMPLOIS HISTORIQUES DE L'ÉTUDE DE MARCHÉ

Enquête d'une compagnie aérienne (1920)

Si vous devez faire un long voyage, préférez-vous :

- **A** Prendre la voiture
- **B.** Emprunter le train
- **C.** Vous faire enfermer dans une énorme caisse métallique plus lourde que votre maison et propulsée dans les airs grâce à l'explosion de produits chimiques, tout en sachant que le moindre problème humain, mécanique ou météorologique peut entraîner votre incinération immédiate dans une énorme boule de flammes.

Si vous avez répondu « C », ça vous ennuierait si on égarait vos bagages vers une autre destination ?

Enquête sur les magnétoscopes (1965)

Si vous pouviez acheter un appareil permettant de visionner des films enregistrés sur votre téléviseur, combien seriez-vous prêt à le payer ?

A 1 000 F
B. 2 500 F
C. 12 500 F parce que cela vaudrait la peine ; je pourrais louer des films pornos et me masturber comme un singe en pleine nature.

Enquête sur les services en ligne (1985)

Si vous pouviez connecter votre ordinateur à un vaste réseau d'informations, dans quel but utiliseriez-vous ce service ?

A Pour réunir d'importantes données scientifiques
B. Pour me cultiver
C. Pour prouver mon manque total de personnalité en passant d'interminables heures à saisir des bouts de phrases stupides et souvent obscènes que des gens comme moi peuvent lire en « temps réel ».

Si vous avez répondu « C », quel nom donneriez-vous à ce service ?

A Bavardarge électronique
B. Je suis un idiot et je le prouverai !
C. Adieu mon livret d'épargne.

LA DEMANDE

Une fois que vous avez votre étude de marché, il est temps de passer à la conception du produit. Vos ingénieurs vont vous demander de spécifier ce qu'ils doivent faire. Cela peut demander beaucoup de travail ; mieux, c'est vous qui risquez de porter le chapeau si le produit ne se vend pas. Evitez à tout prix de spécifier la demande. Si le service d'ingénierie vous harcèle, appliquez la procédure suivante : Insistez pour dire que vous avez déjà transmis vos spécifications lorsque vous avez indiqué que le produit devait être « de la meilleure qualité au meilleur prix ».

1. Plaignez-vous des atermoiements de l'ingénieur auprès de son chef de service.
2. Demandez à l'ingénieur de vous dire tout ce qu'il est possible de réaliser et pour quel coût, afin que vous puissiez choisir la meilleure solution. Plaignez-vous du manque de coopération de l'ingénieur auprès de son chef de service.

3. Formulez des spécifications techniquement ou logiquement impossibles. Plaignez-vous du manque de dynamisme de l'ingénieur auprès de son chef de service.

CRÉER UN MARCHÉ

S'il n'existe pas de marché pour votre produit, vous pouvez peut-être en créer un. Pour cela, il faut inventer un problème, puis trouver sa solution. Les méthodes les plus efficaces sont :

Problème	**Marché potentiel**
Créer de mauvais logiciels	Vente de mises à jour
Créer des produits peu fiables	Vente de garanties de service
Reprocher aux gens de sentir mauvais	Vente de déodorants

LES ENNEMIS NATURELS

Les ingénieurs sont les ennemis naturels des spécialistes du marketing car ils n'ont de cesse d'appliquer leur logique et leur savoir indésirables à toutes les situations. Ils exigent souvent, ce qui est parfaitement déraisonnable, que le produit ait une utilité. Parfois, ils geignent interminablement parce que le produit mutile le consommateur. Quand ce n'est pas l'un, c'est l'autre. Vous pouvez surmonter le problème en oubliant de les convier aux réunions.

C'est souvent lorsqu'ils profitent de cette tendance qu'ont les spécialistes du marketing à croire tout ce qu'on leur dit que les ingénieurs sont le plus dangereux. Comme dans les exemples suivants :

LE MARKETING EN IMAGES

À L'EXTÉRIEUR, C'EST VRAI, JE SUIS UN RAT. MAIS COMPTE TENU DE MA PERSONNALITÉ DÉBORDANTE ET DE MON MANQUE TOTAL DE COMPÉTENCE, JE CONVIENS PARFAITEMENT POUR UNE CARRIÈRE DANS LE MARKETING.

DÉSOLÉ, DAVID, MAIS VOUS ÊTES MUTÉ AU MARKETING ET IL N'Y A AUCUN BUDGET POUR VOTRE FORMATION.

Splendeur du marketing

De : (respect de l'anonymat)
Pour : scottadams@aol.com

Scott,
Voici une idée ahurissante émanant de notre service marketing. Nous fabriquons des [type de machine]. La nouvelle version est à la fois moins chère et plus rapide. Une belle avancée, non ?

Eh bien, le marketing souhaite que les ingénieurs la ralentissent afin de pouvoir vendre un produit bon marché. Ensuite, ils vendront des mises à jour permettant d'obtenir la vitesse maximum à un prix exorbitant. Matériellement, les deux seront identiques, mais sur l'une d'elles les codes seront mélangés pour qu'elle marche moins vite.

De : (respect de l'anonymat)
Pour : scottadams@aol.com

Scott,
Nous avons demandé à notre département marketing de nous fournir certains chiffres en ce qui concerne le nombre d'unités qu'il souhaite vendre.

Réponse : il nous faut « x » francs. A vous de calculer combien d'unités de chaque produit il faut produire pour atteindre ce chiffre.

Conclusion : le marketing ne sait pas faire son boulot, le marketing ne veut pas faire son boulot, le marketing et autres activités essentielles connexes (comme les prévisions) sont de purs produits de notre imagination.

De : (respect de l'anonymat)
Pour : scottadams@aol.com

Scott,

Avant mon arrivée chez [entreprise], il y a deux ans, le produit de base était terminé. Au moment où il allait réaliser quelques ventes, le marketing a décidé de divulguer certains détails du système « nouvelle génération » aux clients potentiels. Tout le monde a tellement apprécié ces caractéristiques que personne n'a voulu acheter le système courant, préférant attendre le prochain. Comme les clients potentiels de [entreprise] attendent un système qui sera installé sur site et durera au moins vingt-cinq ans, ils n'ont aucune envie de se précipiter pour acheter.

Trois ans plus tard, le système « nouvelle génération » est presque terminé. Les clients sont impressionnés par les démonstrations mais expriment certaines réserves.

« Ne vous inquiétez pas, leur dit le marketing, dans deux ans nous sortirons le système « haute performance ».

Une fois encore, les clients ont décidé d'attendre. Entretemps, [entreprise] n'a plus un sou et le système « haute performance » tant vanté n'en est qu'à ses balbutiements. Le personnel de la production a été entièrement licencié mais la plupart des cadres et tout le marketing sont encore là. Il est possible que le système final ne voie jamais le jour.

12

LES CONSULTANTS EN GESTION D'ENTREPRISE

Si les employés de votre société sont incompétents, vous serez peut-être tenté de consulter un cabinet de conseil. Un consultant est quelqu'un qui vous prend votre argent et ennuie vos salariés tout en cherchant inlassablement le meilleur moyen de prolonger son contrat.

Les experts-conseils organisent des réunions à n'en plus finir afin de tester diverses hypothèses et suppositions. Ces exercices sont une étape fondamentale pour tromper les dirigeants et les amener à révéler à l'expert la recommandation la plus susceptible de générer d'autres consultations.

Une fois découverte, la « bonne » recommandation doit être justifiée par une interminable analyse. Les experts-conseils se mettent alors à travailler d'arrache-pied. Le papier disparaît par ramettes entières. On entend virtuellement des forêts séculaires agonisantes crier leur effroi à chaque proposition ou graphique couché sur le papier. L'analyse sera rédigée de la manière la plus alambiquée possible, habile méthode pour décourager toute critique de la part du personnel sournois, en lui faisant craindre de paraître bouché.

Intégrer un consultant dans un service modifie l'équilibre et l'alchimie du groupe. Il faut mettre en place une nouvelle procédure pour tirer partie des compétences de ce spécialiste. La plus efficace consiste à se servir des employés les plus médiocres comme collecteurs de données pour alimenter les énormes cerveaux des consultants. Occupés, les salariés ont l'impression de participer, pendant que les experts se

réunissent avec les hauts dirigeants de l'entreprise pour se plaindre du manque de soutien qu'ils obtiennent et les baratiner au sujet de nouveaux projets.

Les consultants ont recours à une panoplie d'outils d'aide à la décision comprenant la création de « scénarios alternatifs » et diverses « hypothèses ». Toute hypothèse fâcheuse allant à l'encontre de la recommandation initiale est immédiatement abandonnée par l'expert pour motif économique.

Les hypothèses restantes sont objectivement validées en envoyant des salariés à la pêche aux informations inexistantes. Les dites hypothèses seront ensuite transformées en « quasi-faits » lors d'interminables débats sur ce qui est « le plus probable ».

Les experts-conseils finissent toujours par recommander de faire ce qu'on ne fait pas. Centraliser tout ce qui est décentralisé. Niveler tout ce qui est hiérarchisé. Diversifier tout ce qui est concentré et se défaire de tout ce qui ne fait pas partie des « fonctions vitales » de l'entreprise.

Vous trouverez rarement un consultant qui vous recommandera de laisser les choses comme elles sont et d'arrêter de gaspiller votre argent en conseils.

De toute façon, les experts-conseils s'attaquent rarement à la racine du mal. Il faut dire que la cause de tous les maux est, très probablement, la personne qui a fait appel à eux. Aussi préfèrent-ils chercher le moyen d'améliorer la « stratégie » et les « procédures » de l'entreprise.

Les consultants n'ont guère besoin d'expérience dans une branche pour être des experts. Ils apprennent vite. Si le jeune homme de vingt-six ans envoyé par le cabinet est passé devant un point de vente des logiciels Mormoil en venant chez vous, il dispose désormais d'une bonne expérience dans le secteur du logiciel. Si Mormoil offrait une promotion sur les modems ce jour-là, il a aussi acquis une expérience dans le software.

Evidemment, ce type d'expérience n'est pas accessible aux autres membres du personnel qui travaillent dans la branche depuis vingt ans mais continuent d'utiliser des post-it pour identifier leurs divers débouchés excrétoires.

Hormis leur intelligence supérieure, les experts-conseils apportent à votre entreprise de nombreux avantages que les autres salariés ne peuvent vous offrir :

- Les experts-conseils jouissent d'une certaine crédibilité parce qu'ils ne sont pas assez stupides pour être salariés dans votre entreprise.

- Les experts-conseils finissent toujours par s'en aller, ce qui en fait d'excellents boucs émissaires pour les grosses boulettes.

- Les experts-conseils peuvent obtenir des rendez-vous avec le patron parce qu'ils n'ont pas votre réputation de petit-fauteur-de-troubles-geignard-toujours-prêt-à-soulever-d'insolubles-problèmes.

- Les experts-conseils sont souvent plus séduisants que les autres salariés. Ce n'est pas toujours vrai mais si ceux qu'on vous envoie sont laids, vous pouvez toujours les remplacer au bout d'un mois.

- Les experts-conseils vous rappellent parce que c'est toujours du temps facturable pour eux.

- Les experts-conseils font des heures grotesquement longues, ce qui donne l'impression aux autres salariés d'être de vilains crapauds inutiles qui ne travaillent que soixante heures par semaine.

LE CONSEIL EN IMAGES

VOICI MON RAPPORT FINAL SUR VOTRE ENTREPRISE.

J'AI FAIT LA LISTE DE TOUS LES POIDS MORTS QUI DEVRAIENT ÊTRE LICENCIÉS.

MAIS C'EST L'ANNUAIRE DE LA DIRECTION.

J'ÉTAIS BIEN CONTENT DE LE TROUVER, ÇA M'A FAIT GAGNER UN TEMPS FOU.

J'AI DÉJÀ VU CE TYPE QUELQUE PART.

JE SUIS « CONSULTANT EN RESPONSABILITÉ ».

VOUS ME VERSEZ DE GROS HONORAIRES ET JE DIS À VOS SALARIÉS QUE CE SONT EUX LES RESPONSABLES DES PROBLÈMES DE L'ENTREPRISE, PAS VOUS. C'EST LA DERNIÈRE MODE MANAGÉRIALE.

ILS NE SE LAISSERONT JAMAIS DUPER !

EN SUIS-JE RESPONSABLE ???!

DOGBERT EST ENGAGÉ COMME CONSULTANT EN RESPONSABILITÉ

C'EST VOUS LE RESPONSABLE DES PROBLÈMES DE L'ENTREPRISE, RICHARD.

VOUS VOUS EN PRENEZ À LA DIRECTION MAIS C'EST À CHACUN DE VOUS, LES SALARIÉS, D'ÉLABORER DE NOUVEAUX PRODUITS NOVATEURS ET D'EXPLORER DE NOUVEAUX MARCHÉS.

MAIS JE NE SUIS QU'UN SIMPLE OPÉRATEUR. J'AI ÉTÉ EMBAUCHÉ À LA SAISIE.

J'AI VU COMMENT VOUS SAISISSEZ. ÇA AUSSI, C'EST EFFROYABLE.

DOGBERT EST ENGAGÉ COMME CONSULTANT EN RESPONSABILITÉ

C'EST VOUS LE RESPONSABLE DE TOUS LES MALHEURS DE L'ENTREPRISE, PAS LA DIRECTION !

VOUS RENDEZ-VOUS COMPTE COMBIEN VOUS Y GAGNERIEZ PERSONNELLEMENT SI VOUS CONTRIBUIEZ À LA RÉUSSITE DE L'ENTREPRISE ?

ON ME REMETTRAIT UNE JOLIE PLAQUE DANS UN CADRE EN PLASTIQUE.

OUAIS... BEN J'ESPÉRAIS QUE VOUS NE LE SAVIEZ PAS.

MES HONORAIRES DE CONSULTANT S'ÉLÈVENT À 1000 F L'HEURE.
TRÈS BIEN.
JE PASSE MES JOURNÉES À QUESTIONNER LES SALARIÉS AFIN D'IDENTIFIER LES ZONES À PROBLÈMES.
PLUS TARD
ILS SONT UNANIMES. ILS SONT SOUS-PAYÉS ET TOUS LES PROBLÈMES SONT VOTRE FAUTE, « TÊTE DE LARD ».
DOGBERT CONSULTANT
VOS RÉSULTATS CHUTENT.
LE PROBLÈME NE SERA PAS FACILE À RÉSOUDRE.
CERVEAUX
Concurrence
Pauvres salariés
Vous
ALORS, QUE FAUT-IL FAIRE ? RÉDUIRE À NOUVEAU LE BUDGET FORMATION ?
DOGBERT CONSULTANT
J'AI UN PLAN PEU ORTHODOXE POUR AMÉLIORER VOTRE IMAGE AU SEIN DE L'ENTREPRISE.
DITES TOUJOURS
VOUS ÉLIMINER.
RICHARD ? JE TE CROYAIS VIRÉ
JE L'ÉTAIS.
MAIS COMME LES GENS DE L'EXTÉRIEUR SEMBLENT PLUS INTELLIGENTS, ILS M'ONT ENGAGÉ BEAUCOUP PLUS CHER À TITRE DE CONSULTANT.
T'AS COMPRIS ? N'HÉSITE PAS À ME DEMANDER DE L'AIDE POUR LES TRUCS DURS.
EXCELLENTE NOUVELLE ... VOUS ÊTES VIRÉ !
VOUS RECEVREZ UNE BONNE INDEMNITÉ DE DÉPART, DEUX SEMAINES DE CONGÉ ET NOUS VOUS RÉEMBAUCHERONS À UN SALAIRE PLUS ÉLEVÉ COMME CONSULTANT !!
ET JE PEUX TRAVAILLER À DOMICILE SI JE VEUX, MAIS COMME JE NE SUIS PAS OBLIGÉ DE PORTER DE CRAVATE...
AHHHH !
BOING BOING

TIENS, ON DIRAIT QUE VOUS VOUS RENDEZ À UNE RÉUNION DE TROIS HEURES À LAQUELLE JE NE SUIS PAS TENU D'ASSISTER.
S.Adams
E-Mail: SCOTTADAMS@AOL.COM

JE SUIS RAVI D'ÊTRE UN CONSULTANT GRASSEMENT PAYÉ. JE VAIS ACCROÎTRE MES COMPÉTENCES PENDANT QUE VOUS TENTEZ PÉNIBLEMENT D'OXYGÉNER VOS NEURONES.
10-21
© 1994 United Feature Syndicate, Inc.

TROIS HEURES PLUS TARD
JE SUIS PASSÉ CONCEPTEUR MULTIMÉDIA.
ET VOUS, VOTRE JOURNÉE ?

EN TANT QUE CONSULTANT, JE VAIS VOUS DIRE COMMENT AMÉLIORER VOS PROCÉDURES.
S.Adams
E-Mail: SCOTTADAMS@AOL.COM

JE VAIS VOUS MONTRER COMMENT UNE PROCÉDURE BIEN CONÇUE PEUT COMPENSER VOTRE PARESSE, VOTRE APATHIE ET VOTRE INCOMPÉTENCE GÉNÉRALISÉE.
11-10
© 1994 United Feature Syndicate, Inc.

MAIS AVANT TOUT, ON EST LÀ POUR RIGOLER.

DOGBERT CONSULTANT
LE TURN OVER DES SALARIÉS EST UN EXCELLENT OUTIL POUR ÉVALUER LA SANTÉ DE L'ENTREPRISE.
S.Adams
E-Mail: SCOTTADAMS@AOL.COM

NOUS AVONS UN TURN OVER TRÈS FAIBLE. NOUS N'EMBAUCHONS QUE DES GENS QUI NE SONT PAS ASSEZ COMPÉTENTS POUR ALLER TRAVAILLER AILLEURS.
11-21
© 1994 United Feature Syndicate, Inc.

LA LOGIQUE N'EST PEUT-ÊTRE PAS LA MEILLEURE MÉTHODE ICI.
AUCUNE LOGIQUE NE M'A ENCORE JAMAIS BATTU !!

DOGBERT CONSULTANT
VOUS POUVEZ ÉVALUER VOTRE RÉUSSITE SELON LE NOMBRE DE CLIENTS QUI REVIENNENT.
S.Adams
E-Mail: SCOTTADAMS@AOL.COM

JE SUIS FIER DE DIRE QUE VIRTUELLEMENT TOUS LES CLIENTS RACHÈTENT UNE NOUVELLE UNITÉ DANS LES TROIS MOIS SUIVANT LEUR PREMIER ACHAT !
11/22
© 1994 United Feature Syndicate, Inc.

ET SI VOUS NE COMPTEZ PAS LES REMPLACEMENTS SOUS GARANTIE ?
EUH... LÀ, ON EST MAL.

DOGBERT CONSULTANT EN CRÉATIVITÉ
VOICI MON RAPPORT FINAL SUR VOTRE ENTREPRISE.
S.Adams
© 1993 United Feature Syndicate, Inc.

SELON MES CONCLUSIONS, VOUS ÊTES VOUÉS À L'ÉCHEC. VOUS GASPILLEZ TROP D'ARGENT EN CONSULTANTS.
Internet: ScottAdams@AOL.com

MAIS VOUS ÊTES CONSULTANT.
QUELLE IRONIE, N'EST-CE PAS ?
2-12

HISTOIRES D'EXPERTS-CONSEILS

De : (respect de l'anonymat)
Pour : scottadams@aol.com

Scott,
En voici une qui est arrivée dans une société où je travaillais… Ignorant les suggestions de ses employés sur la manière d'améliorer les opérations, le pdg fait appel à un expert-conseil. Celui-ci discute avec les employés, obtient les mêmes suggestions, les soumet au pdg, qui trouve que ce sont de « bonnes idées » et les met en œuvre.

Tout à fait exaspérant…

De : (respect de l'anonymat)
Pour : scottadams@aol.com

Scott,
J'ai travaillé dans une grande société qui fabriquait des armes nucléaires et des scanners à résonance magnétique nucléaire. Un groupe d'experts-conseils a été embauché pour expliquer les modifications à apporter à l'entreprise.

Les consultants ont cité [nom d'une société] comme modèle à suivre. Il s'agissait d'une simple entreprise de bicyclettes qui s'était fortement développée en très peu de temps. Lorsque vous passiez commande, on prenait toutes vos mesures. On fabriquait votre bicyclette, de la couleur désirée, et on vous la livrait dans les quinze jours. En un mot, de la personnalisation de produit.

Nous, nous fabriquions de gros scanners RMN très onéreux. La question était donc de savoir s'il fallait les peindre de couleurs différentes.

Les cadres moyens, tous dans la ligne de l'entreprise, tentaient de nous rallier à leur idée. Parallèlement, je cherchais un vélo, et trouvais sympa de m'en faire fabriquer un sur mesure. J'ai donc cherché un [nom de la société], mais sans succès. Selon les revendeurs, le fabricant avait fermé boutique.

J'en parle à mon chef, qui me taxe de naïf (vrai) et m'explique que je dois me tromper (faux).

Enervé, j'ai appelé certains des magasins qui faisaient de la publicité pour [nom de la société] afin d'obtenir le numéro de leur représentant régional. On m'a répondu qu'il avait cessé toute activité et on m'a donné le numéro national.

Lorsque j'ai appelé le centre national, on m'a passé le service des « produits de massage et de bain » [nom de la société], où l'on m'a dit que depuis six mois [nom de la société] était dans cette branche, que le reste de ses activités devait avoir été revendu à [nom d'une autre société].

Muni de toutes les traces de mes démarches, je suis retourné voir mon chef (je vous ai dit que j'étais naïf). Je pense qu'il les a montrées à son chef mais je n'ai aucune idée de ce qui s'est passé après.

Cela m'étonnerait beaucoup qu'ils aient vérifié en appelant les numéros que je leur ai fournis.

De : (respect de l'anonymat)
Pour : scottadams@aol.com

Scott,

Il y a environ quatre mois, ma société [centre de télésecrétariat] a fait appel aux services très onéreux d'un expert-conseil qui devait tout nous apprendre sur un nouveau logiciel. En gros, nous n'avions plus le droit de faire aucune faute. Naturellement, nous lui avons demandé s'il était possible d'atteindre une telle perfection et voilà à peu près ce que son argumentation donnait :

(A) Si vous parvenez à ne pas faire d'erreur pendant dix secondes, vous pouvez ne pas faire d'erreur pendant une minute. Et si vous pouvez ne pas en faire pendant une minute, vous pouvez être parfaits pendant soixante minutes. Et caetera.

(B) Vous dites que ça ne fait rien si [nom de la société] commet des erreurs ? Quel est le taux d'erreurs qui selon vous n'est pas grave ? Une sur cent ? C'est ça ? Et si les médecins faisaient tomber un bébé sur cent sur la tête ? Et si un avion sur cent s'écrasait à flanc de montagne ?

Eh oui, il n'a pas hésité à mettre sur le même plan les coquilles typographiques et la mort de milliers de personnes.

13

LE BUSINESS PLAN

Quelque part entre les hallucinations de la direction et la dure réalité du marché, on trouve ce qu'on appelle un business plan. Voici les deux étapes principales qui permettent d'établir un business plan :

1. Réunir des informations
2. Ne pas en tenir compte.

Dans la phase de recueil d'informations, on demande à chaque branche de l'entreprise d'établir des prévisions quant à ses recettes et ses dépenses pour les années à venir. Comme vous vous en doutez, les prévisions sont « un peu arrangées » afin de faciliter leur concrétisation. Si, par exemple, une branche a vendu un million d'unités l'année écoulée, elle aura tendance à proposer des objectifs moins agressifs pour l'année suivante.

ESTIMATION DES VENTES POUR L'ANNÉE SUIVANTE

« Les ventes seront négatives cette année. En effet, nous pensons que notre produit sera victime de nombreux vols à l'étalage et que les voleurs viendront se faire rembourser auprès des caissiers en ne présentant que des papiers de chewing-gum en guise de preuves d'achat.

Les dépenses médicales atteindront trente pour cent car les quelques clients qui paieront vraiment nos produits les retourneront en les envoyant à la figure des employés. »

La haute direction examine l'ensemble des mensonges fournis par chaque branche de l'entreprise et les ajuste de manière à ce qu'ils correspondent à « ce qu'elle sait être la vérité ». On peut aboutir à un fossé relativement profond entre ce que les salariés pensent pouvoir faire et ce que la direction leur dit de faire. Ce fossé peut être comblé par l'ajustement des suppositions.

D'abord, partez du principe que toute tendance positive ne cessera jamais et que toute tendance négative ne tardera pas à se renverser. Ensuite, passez les chiffres dans un tableur. Voilà votre avenir. (Si par la suite il s'avère que vous vous êtes trompé, rejetez la faute sur la conjoncture mondiale.)

Certaines entreprises choisissent de changer d'activité pour changer de futur. C'est une perte de temps. Vous pouvez arriver au même résultat en arrangeant les hypothèses de votre business plan.

N'oubliez pas, l'avenir dépend des hypothèses de départ et ces hypothèses sortent tout droit de votre imagination. Il serait totalement stupide de vous éliminer d'avance.

Dans le domaine commercial, quand on émet des hypothèses, il est fortement déconseillé de se laisser contraindre par la réalité. La réalité est hautement impopulaire et terriblement ennuyeuse à lire. Si vous n'avez jamais vu la réalité écrite noir sur blanc, en voici quelques exemples. Vous allez voir à quel point ça peut être démoralisant.

Hypothèses basées sur la réalité (à éviter)

« Le chef de projet est un nigaud. Dans le meilleur des cas, il nous reste à espérer qu'il ne blesse personne en courant avec des outils dans les mains. »

« Il faudra agrandir l'équipe pour ce projet. En réaction, la direction va demander à ce qu'on fasse le point plus souvent. »

« Notre étude de marché a dû être menée dans un institut psychiatrique. Sinon c'est qu'il y a une forte demande de la part de dénommés Moïse. »

Au premier abord, il peut sembler immoral d'établir un business plan qui évite délibérément tout contact avec la réalité. A cela, je réponds « piche toche », non pas parce que cela signifie quoi que ce soit mais parce que c'est rigolo. *

Tout le monde sait que les business plans sont établis après que les décisions ont été prises par la direction de l'entreprise. Alors, de toute façon, personne ne croit à vos hypothèses. Il n'y a donc rien d'immoral à avoir recours à des hypothèses ridicules ; c'est juste mentir un peu pour conserver son emploi. Les gens vous respectent pour ça.

Il n'est pas toujours facile de trouver des hypothèses qui étayent le résultat souhaité par la direction. Mais je suis là pour vous aider. Voici quelques bons tuyaux pour que vos analyses présentent les « bonnes » réponses.

Comparaisons absurdes

S'il existe une meilleure solution que celle que votre direction veut vous voir justifier, évitez-la comme la peste. Ne mentionnez jamais la meilleure solution et priez pour que personne ne s'en rende compte. Concentrez-vous plutôt sur les solutions particulièrement stupides qui font que l'approche recommandée semble bonne par comparaison.

Mauvaises solutions faisant apparaître la vôtre comme bonne

1. Augmenter la puissance d'un équipement obsolète.
2. Embaucher une horde de fauteurs de troubles proches des syndicats.
3. Ne rien faire et regarder l'entreprise s'écrouler pendant que vos prestes concurrents ramassent d'énormes bénéfices, vivent dans de riches demeures et se font servir par des parents à vous.

---

*Allez-y, répétez-le. Vous verrez que vous finirez par aimer ça et vous le direz souvent.

PRÉVISIONS DE CHIFFRE D'AFFAIRES IRRÉALISTES

« Si seulement un pour cent du monde achetait notre produit, ça nous ferait cinq millions de clients ! »

Toutes les entreprises qui ont lancé un produit sur le marché ont utilisé à bon escient l'une ou l'autre version de cette « analyse ». C'est un argument massue pour la commercialisation d'un nouveau produit.

Chacun sait en effet que la population générale se découpe comme suit :

- 60 % de gens qui n'ont pas besoin de notre produit
- 30 % de gens qui n'ont pas d'argent
- 5 % de gens idiots
- 5 % de gens qui achètent tout et n'importe quoi.

Cela laisse un bon dix pour cent qu'on peut considérer comme d'éventuels clients pour notre produit, et c'est plus qu'assez pour soutenir un business plan.

Si quelqu'un remet en question vos prévisions, contentez-vous de souligner que le marché ciblé regroupe « les gens idiots » et « les gens qui achètent tout et n'importe quoi ».

Personne ne viendra vous dire que cela ne touche pas assez de monde.

PRÉPARATION DU BUSINESS PLAN DE L'ENTREPRISE

Les employés veulent sentir qu'ils participent à la création du business plan. Cette « participation » est une pure escroquerie car elle sert avant tout à rappeler aux salariés que, si les choses tournent mal, ce sera leur faute.

Voici les étapes importantes pour obtenir de la participation à un business plan.

1. La direction détermine l'orientation à suivre avec des déclarations aussi utiles que : « Devenir le leader sur le marché des adoucissants textiles et des communications par satellite. »
   Cette orientation est fondamentale car les salariés peuvent facilement être amenés à croire, à tort, que le but de l'entreprise consiste à faire faillite.
   Pire encore, un chauffeur de camion de livraison déconcerté par l'absence d'orientation risque de se mettre à concevoir des puces électroniques au lieu de transporter de l'adoucissant textile.

2. Les salariés sont priés de classer objectivement leurs activités par ordre d'importance par rapport à la contribution qu'elles apportent vis-à-vis des objectifs de l'entreprise.

3. Les salariés classent toutes leurs activités dans la catégorie des priorités vitales pour l'existence même de l'entreprise. Ils justifient leurs choix par une interminable liste de sigles indéchiffrables.

4. Les informations fournies par les salariés sont réunies dans d'énormes dossiers.

5. Le service de la comptabilité utilise ces données pour alimenter d'inépuisables discussions sur la stupidité et l'inutilité de chacun des autres services.
   Finalement, les recommandations budgétaires sont établies sur la base de plusieurs facteurs pondérés :

• Les sigles de projet les plus connus des membres du service comptabilité : 10 %.
• Les anecdotes de quatrième main qu'ils ont entendues selon lesquelles la direction soutiendrait tel ou tel projet : 10 %.
• Le service dans lequel ils aimeraient finalement travailler si seulement ils trouvaient le moyen de ne plus avoir à étudier de budgets : 80 %.

6. Un rédacteur technique accepte d'être responsable du fait que les diverses composantes du plan n'ont aucun sens et que les projets importants n'obtiennent pas de budget. Amer et cynique, mais rassuré de savoir que personne ne verra jamais ce plan, le rédacteur technique bricole un document puis démissionne, écœuré, après avoir effacé le fichier source.

7. Le projet est mis sous clé dans un endroit sûr parce que c'est un document de marque déposé ; il ne peut donc être partagé avec les salariés.

14

INGÉNIEURS, SCIENTIFIQUES, PROGRAMMEURS ET AUTRES INDIVIDUS ÉTRANGES

Les gens qui travaillent dans les domaines scientifiques et technologiques ne sont pas comme les autres. Parfois, c'est frustrant pour les esprits non scientifiques qui ont affaire à eux. Le secret, pour y faire face, consiste à essayer de comprendre leurs motivations.

Ce chapitre vous enseignera tout ce que vous devez savoir.

Dans les milieux techniques, tous les professionnels partagent un certain nombre de traits de caractère. Pour des raisons pratiques, je me concentrerai essentiellement sur les ingénieurs. On peut sans crainte généraliser leur cas pour l'appliquer aux autres professions scientifiques et technologiques.

Pour la petite histoire, je ne suis pas ingénieur de formation. Néanmoins, j'ai passé dix ans à travailler avec des ingénieurs et des programmeurs dans divers emplois. J'ai découvert leurs coutumes et leurs particularismes en les observant. Un peu comme Jane Goodall quand elle étudiait les gorilles des montagnes, sauf que je n'ai pas eu, pour ma part, à me soucier des séances d'épouillage.

Avec le temps, j'ai appris à respecter et à apprécier les us et coutumes des ingénieurs. J'ai même fini par adopter leur superbe – quoiqu'un peu fonctionnelle – philosophie de la vie. Il était trop tard pour que je retourne à l'école suivre une vraie formation. Mais je pouvais tout à fait prétendre être un vrai ingénieur afin de jouir des avantages évidents que cela procure auprès des femmes. Jusqu'ici, je pense que ça a marché.

L'ingénierie est tellement à la mode en ce moment que tout le monde veut devenir ingénieur. Le seul mot d'« ingénieur » fait l'objet d'un emploi largement abusif. Si vous connaissez quelqu'un dans votre entourage qui tente de passer un diplôme d'ingénieur, soumettez-lui ce test pour le percer à jour.

Test d'identification des ingénieurs

En entrant dans une pièce, vous remarquez qu'un tableau est de travers. Vous...

A. Le redressez.
B. N'en tenez pas compte.
C. Achetez un système de CAO et passez les six mois suivants à concevoir un cadre auto-positionnant qui fonctionne à l'énergie solaire sans cesser de répéter à haute voix que l'inventeur du clou était un parfait imbécile.

La bonne réponse est « C » mais il faut également accorder quelque crédit à toute personne qui inscrirait « ça dépend » dans la marge ou se contenterait de tenir le « marketing » pour responsable de ce truc idiot.

Pour essayer de faire comprendre au monde ce qu'est un ingénieur, je vais tenter d'expliquer les nobles motifs, parfaitement raisonnés, qui se cachent derrière ce que les personnes soi-disant normales perçoivent comme d'étranges comportements.

LES COMPÉTENCES SOCIALES

Il est tout à fait injuste de suggérer, comme cela a si souvent été fait, que les ingénieurs sont socialement ineptes. Les ingénieurs ont simplement des objectifs différents dans les rapports sociaux.

Les gens normaux attendent des rapports sociaux plusieurs choses irréalistes :

- Une conversation stimulante qui amène à réfléchir
- Des contacts importants
- Une certaine affinité avec d'autres humains.

Ces buts sont absurdes et stupides. L'expérience montre que la plupart des conversations dégénèrent sur les problèmes de stationnement, la météo, le temps qui s'est écoulé depuis la dernière fois qu'on a fait un peu de sport et, grand Dieu, les « sentiments ». On ne peut guère dire de ces sujets qu'ils sont stimulants ou qu'ils vous amènent à réfléchir. Ni qu'ils présentent une quelconque utilité.

Les ingénieurs savent parfaitement que les contacts personnels n'ont pas une grande importance dans leur métier. L'important pour eux, ce n'est pas « qui ils connaissent » mais « qui en connaît moins qu'eux ».

Il n'est pas non plus très intéressant de se sentir une « affinité » avec les autres humains. C'est bon pour les poètes et le marketing multiniveaux. Pour un ingénieur, rien ne distingue la plupart des gens « normaux » sur le plan intellectuel d'un pois sauteur mexicain avec un visage. *

Le sentiment d'avoir une certaine « affinité » avec des idiots à base de carbone est aussi réjouissant que de se retrouver menotté avec un zèbre mort – ça peut sembler un peu spécial, mais ça pourrait rapidement faire date.

Contrairement aux gens « normaux », les ingénieurs ont des objectifs raisonnables dans leurs rapports sociaux :

- S'en débarrasser le plus vite possible
- Eviter de se faire inviter à des manifestations désagréables
- Démontrer sa supériorité intellectuelle et sa maîtrise de tous les sujets.

Voilà des objectifs sensés qui peuvent apporter de grandes joies. La compétence sociale d'un ingénieur doit être mesurée sur la base de ces objectifs raisonnables, et non pas sur la base des critères farfelus aux-

* Si vous croyez que c'est facile de faire des métaphores, faites voir ce que vous savez faire.

quels se réfère la société. Vu sous cet angle, je pense que vous serez d'accord pour dire que les ingénieurs sont très efficaces dans leurs rapports sociaux. Ce sont les gens « normaux » qui sont bêtes.

LA FASCINATION POUR LES GADGETS

Pour l'ingénieur, tout ce qui compte dans l'univers se classe dans l'une ou l'autre des catégories suivantes : (1) les choses ayant besoin d'être réparées et (2) les choses avec lesquelles on a joué quelques minutes et qui ont donc besoin d'être réparées.

Les ingénieurs aiment résoudre les problèmes. Lorsqu'il n'y a pas de problème, ils s'en créent eux-mêmes. Les gens normaux ne comprennent pas, et croient que les choses qui fonctionnent n'ont pas besoin d'être réparées. Les ingénieurs pensent qu'il leur manque certaines caractéristiques.

Aucun ingénieur ne regarde une télécommande sans se demander comment faire pour la transformer en un pistolet hypodermique.

Aucun ingénieur ne peut prendre une douche sans se demander si un quelconque revêtement en Teflon n'éviterait pas d'avoir à se doucher.

Pour l'ingénieur, le monde est un coffre à jouets rempli de jouets qui n'ont pas été optimisés et qui manquent de caractéristiques.

C'est une bonne chose, pour la société.

Sans ces pulsions insurmontables des ingénieurs, l'humanité n'aurait jamais connu la roue, elle lui aurait préféré le trapèze parce qu'un des hommes de Neandertal versé dans le marketing aurait réussi à convaincre tout le monde qu'il présentait d'excellentes capacités de freinage. Et il n'y aurait pas eu de feu non plus, parce qu'un cadre moyen troglodyte aurait fait remarquer que, si le feu était une si bonne idée, les autres hommes des cavernes seraient déjà en train de l'utiliser.

De la messagerie électronique...

De : (respect de l'anonymat)
Pour : scottadams@aol.com

Scott,

Je suis technico-commercial chez [société] et j'assure le service sur site chez de nombreux clients différents. Un jour, on m'a fait venir dans une société d'ingénierie. La photocopieuse se coinçait. Lorsque je suis arrivé sur place, j'ai découvert une immense pile de composants, d'écrous, de boulons, etc. à côté du squelette de la photocopieuse.

L'ingénieur en chef avait réuni en deux volumes toutes les notes établissant la liste des défauts réels, faux et imaginés de la photocopieuse. Tout était consigné, l'heure, les conditions (copies simples, copies recto-verso, distributeur sélectionné/non sélectionné, poids du papier, etc.) et les variations de tension de la ligne. Quand je leur ai demandé pourquoi ils l'avaient démontée, ils m'ont répondu : « Pour vous faire gagner du temps. »

Il m'a fallu quatre jours (je ne plaisante pas et n'exagère pas non plus !) pour remonter le tout.

Savez-vous quel était le problème ? Ils avaient mis du révélateur dans le compartiment à encre ! Pour un technico-commercial, c'est la chose la plus facile à diagnostiquer au monde et la réparation prend à peine une demi-heure (sur ce produit-là).

LA MODE ET LE LOOK

Les vêtements sont la dernière priorité d'un ingénieur, pour peu qu'ils soient adaptés à la température ambiante et ne franchissent pas le seuil de la décence. Si aucun appendice ne gèle ni ne fond et si aucune partie génitale ou glande mammaire ne se balancent aux yeux de tout le monde, l'objectif de l'habillement est atteint. Le reste n'est que pur gaspillage.

Si vous y réfléchissez, logiquement vous êtes la seule personne qui ne soit pas obligée de vous regarder, à l'exception des brefs coups d'œil que vous vous jetez dans le miroir. Les ingénieurs se disent que leur apparence ne dérange que les autres et que, par conséquent, il n'y a pas lieu de chercher à l'améliorer.

Autre plus : la laideur de leur apparence peut décourager les gens normaux de leur parler. Notamment de leurs enfants.

LES SCEPTIQUES DISENT QUE LES COURS DE GYMNATISQUE EN ENTREPRISE NE PEUVENT PAS MARCHER. FAISONS UN PEU D'AÉROBIC, NOUS VERRONS BIEN QUI A RAISON !

PFOUI !
OH !
AÏE !
PAF !

LES SCEPTIQUES ONT RAISON.
ON A RAREMENT TORT.

PERMETTEZ-MOI DE VOUS PRÉSENTER L'UN DE NOS INGÉNIEURS

KARINE EST NOTRE NOUVELLE DIRECTRICE-ADJOINTE. VOUS ÊTES... ?
DILBERT : UN EMPLOYÉ ESTIMÉ.

JE SUIS PARTISANE DE L'OUVERTURE, DILBERT. N'HÉSITEZ PAS À VENIR ME VOIR SI VOUS AVEZ BESOIN DE QUOI QUE CE SOIT.
EUH-OH

ALORS, VOUS TRAVAILLEZ SUR QUOI ?
OH NON !

EUH... J'ENVOYAIS UN MESSAGE À QUELQU'UN ASSIS PRÈS D'UNE FENÊTRE POUR SAVOIR S'IL PLEUT

S'IL PLEUT, JE ME FERAI UN IMPERMÉABLE AVEC UN GRAND SAC POUBELLE.
REGARDEZ.

TROIS TROUS ET VOILÀ !

VOUS SORTEZ DÉJEUNER ?
SEULEMENT S'IL PLEUT.

DILBERT, J'AIMERAIS QUE VOUS VOUS CHARGIEZ DE L'ENTRETIEN DE RECRUTEMENT DU NOUVEAU CANDIDAT.

VOYEZ S'IL A TOUTES LES QUALITÉS D'UN INGÉNIEUR.

BONJOUR, CHARLES. NOUS ALLONS COMMENCER PAR LE TEST DE BASE.
D'ACCO DAC.

J'AI ICI TRENTE-CINQ STYLOS ET CRAYONS. COMBIEN VOUS EN FAUT-IL POUR FAIRE VOTRE TRAVAIL ?
TOUS.

EXACT... MAINTENANT, QUELLE EST LA MANIÈRE CORRECTE POUR LES TRANSPORTER SUR VOUS ?

PARFAIT. DERNIÈRE QUESTION : QUEL EST L'AVANTAGE DE PORTER DE LA FIBRE NATURELLE ?

EUH... GROSSE PANIQUE
JE... JE NE SAIS PAS.

ÇA NE FAIT RIEN. JE TESTAIS VOS CHEVEUX. VOUS ÊTES INGÉNIEUR.

JE DOIS FAIRE UN DISCOURS À LA « SOCIÉTÉ DES INGÉNIEURS » AUJOURD'HUI... JE SUIS UN PEU NERVEUX.

PARFOIS ÇA DÉTEND D'IMAGINER LE PUBLIC TOUT NU.

AAAH ! NON, ANNULE. JE VIENS JUSTE D'IMAGINER QUATRE CENTS INGÉNIEURS TOUT NUS.
TROP TARD.

L'ADORATION POUR « STAR TREK »

Les ingénieurs adorent la série et les films de « Star Trek ». Ça n'a rien d'étonnant puisque les ingénieurs de l'Enterprise ont des rôles de héros, à qui il arrive même de coucher avec des extra-terrestres. Tous les ingénieurs rêvent de sauver l'univers et de coucher avec des extra-terrestres. Ça n'a tellement rien à voir avec la dure réalité quotidienne de l'ingénieur qui passe sa vie à se cacher du reste du monde et à assouvir ses désirs sexuels sans l'aide d'aucune autre forme de vie. Tout porte donc à croire que « Star Trek » continuera à déchaîner les passions aussi longtemps que cela n'aura rien de réaliste.

LES RENDEZ-VOUS GALANTS ET LES SORTIES

Il n'est jamais facile pour un ingénieur de sortir avec quelqu'un. Les gens normaux déploient toutes sortes de méthodes détournées et louvoyantes pour se donner une apparence faussement séduisante. Les ingénieurs sont incapables de placer l'apparence au-dessus de la fonction.

Pour la société, il vaut probablement mieux que les ingénieurs respectent davantage la fonction que l'apparence. Vous ne voudriez pas, par exemple, qu'ils construisent des centrales nucléaires qui donnent simplement l'impression de contenir toutes leurs radiations. Il faut envisager les choses dans leur ensemble. Mais l'importance que les ingénieurs accordent à la fonction par rapport à l'apparence constitue un gros inconvénient en ce qui concerne les rapports amoureux. Là, le but consiste en effet à feindre un comportement jusqu'à ce que l'autre vous aime pour ce que vous êtes.

Les ingénieurs n'aiment pas les conversations banales parce qu'on n'en retire aucune information utile. Il est plus utile d'expliquer un problème technologique complexe au premier être humain venu qui se tient tranquille. De cette manière, on échange au moins une information et la rencontre n'est pas totalement perdue. Malheureusement, il semble qu'une personne normale préfère qu'on lui fourre un panier entier de pommes de pin dans le nez * plutôt que d'écouter parler de technologie.

Ce n'est pas une raison pour arrêter de faire part d'importantes connaissances à ceux qui ne le veulent pas. Et parfois, les gens normaux

---

* Lors des tests réalisés en laboratoire sous contrôle, dix-neuf sujets sur vingt ont préféré qu'on leur fourre un panier entier de pommes de pin dans le nez. Le dernier sujet a préféré qu'on lui fourre l'ingénieur. On le regrettera.

tentent de faire comprendre par la gestuelle aux ingénieurs que leur entretien est terminé. Mais les ingénieurs ne tiennent aucun compte de cette forme de communication car c'est une science des plus inexactes. Il leur est pratiquement impossible, par exemple, de faire la différence entre un regard comateux et une marque d'intérêt.

Heureusement, les ingénieurs ont un atout dans leur manche. Ils sont largement reconnus comme d'excellents partis pour le mariage : intelligents, fiables, salariés, honnêtes et très utiles dans la maison. S'il est vrai que beaucoup de gens normaux préféreraient ne pas sortir avec un ingénieur, la plupart nourrissent l'espoir d'en trouver un pour s'accoupler. Car il produira des enfants à son image qui auront des emplois grassement rémunérés bien avant de perdre leur virginité.

Sur le plan de l'attirance sexuelle, les ingénieurs du sexe masculin arrivent à maturité plus tard que les autres ; c'est entre trente-cinq et quarante-neuf ans qu'ils deviennent de véritables bombes sexuelles. Il suffit de regarder les exemples suivants :

- Bill Gates
- MacGyver
- Et caetera.

Les ingénieurs du sexe féminin deviennent irrésistibles à l'âge nubile et le demeurent jusqu'à environ une demi-heure après leur mort clinique. Un peu plus s'il fait chaud ce jour-là.

LUTTER CONTRE LES STÉRÉOTYPES INJUSTES

Les ingénieurs sont souvent stéréotypés dans les médias. Il est terriblement injuste de généraliser ainsi quelques traits de caractère individuels. Il paraît que je me serais moi-même rendu coupable de cette infamie, mais je suis sûr que c'est un coup monté.

Pour rétablir la vérité, je dois dire que j'ai interrogé des milliers d'ingénieurs et qu'il est clair que les stéréotypes ne leur correspondent pas à tous. Voici les exceptions que j'ai trouvées :

INGÉNIEURS	**EXCEPTIONS PAR RAPPORT AU STÉRÉOTYPE**
Elmer Moline, Calgary, Canada	A eu un un second rendez-vous galant à l'âge de vingt-trois ans.
Herb Blinthem, San Jose, Californie	A aimé « Sur la route de Madison ».
Anita Fluman, Dublin, Californie	A le sens du rythme.
Hugh Hunkelbein, Schaumburg, Illinois	Se moque de savoir comment sa télécommande fonctionne du moment qu'elle fonctionne.

L'HONNÊTETÉ

Pour les êtres humains, l'honnêteté est une question de degré. Les ingénieurs sont toujours honnêtes quand il s'agit de technique et de rapports humains. C'est pour cette raison qu'il vaut mieux les tenir à l'écart de vos clients, de l'objet de vos désirs ou de toute autre personne ne supportant pas la vérité.

Les ingénieurs détournent parfois la vérité afin d'éviter le travail. Mais grâce au concept de « la pratique courante » ce n'est techniquement pas malhonnête dans le monde du travail moderne.

Parfois, les ingénieurs disent des choses qui ont l'air de mensonges mais techniquement ce n'en sont pas puisque personne n'est censé les croire. Voici la liste complète des mensonges d'ingénieur :

« Je ne changerai rien sans te demander d'abord ton avis. »

« Je te rendrai ce câble très rare demain. »

« Il me faut absolument du matériel neuf pour faire mon travail. »

« Je ne suis pas jaloux de ton nouvel ordinateur. »

LA FRUGALITÉ

Il est notoire que les ingénieurs ont un esprit frugal. Non pas par mesquinerie mais simplement parce que toutes les situations de dépense leur posent un problème d'optimisation.

Ils se demandent en effet « comment échapper à cette situation en en retirant le maximum d'argent ? »

PETITS CONSEILS

Les ingénieurs sont toujours ravis de partager leur grande sagesse, même dans les domaines où ils n'ont absolument aucune expérience.

Grâce à leur sens de la logique, ils ont la science infuse dans toutes les spécialités.

Cela pose parfois problème lorsqu'ils ont affaire à des gens illogiques qui croient que leurs connaissances s'acquièrent uniquement avec l'expérience, comme dans l'exemple suivant :

EXPLIQUER CE QU'EST L'INGÉNIERIE

La plupart des gens ignorent ce qu'être ingénieur signifie. Il existe de nombreux types d'ingénieurs qui font des tas de choses fascinantes dans leur boulot. Toutefois, on a un peu de mal à partager l'excitation et les poussées d'adrénaline que connaît l'ingénieur dans sa vie quand il en parle.

LE POUVOIR DE CONCENTRATION

S'il existe un seul trait qui définisse vraiment l'ingénieur, c'est sa capacité à se concentrer sur un sujet en faisant totalement abstraction de tout ce qui se passe autour de lui. C'est ainsi qu'on en arrive à annoncer prématurément la mort de certains ingénieurs.

De nombreux témoignages* racontent comment des ingénieurs se sont soudain redressés au beau milieu de leur embaumement pour crier quelque chose du style « J'y suis - Tout ce qu'il me faut c'est un circuit avec un relais de secours !!! ». Depuis, certaines des entreprises de pompes funèbres situées dans les régions de haute technologie vérifient les CV avant de préparer les corps. Ils laissent quelques jours dans la salle mortuaire toutes les personnes possédant un diplôme d'ingénieur en électricité ou une expérience dans la programmation informatique, juste pour voir si elles réagissent.

LE RISQUE

* Je ne me souviens pas où j'ai lu ces témoignages mais si je les retrouve je vous en enverrai une copie.

Les ingénieurs détestent le risque. Ils essayent toujours de l'éliminer à la moindre occasion. C'est compréhensible : lorsqu'un ingénieur commet la moindre erreur, les médias s'emparent de l'histoire et la montent en épingle.

Exemples de mauvaise presse pour les ingénieurs

- Hindenberg
- La navette spatiale Challenger
- Le supertélescope Hubble
- Apollo 13
- Le Titanic
- Les avions renifleurs
- L'Airbus A 320.

Pour un ingénieur, l'évaluation risque/récompense ressemble un peu à cela :

RISQUE	**RÉCOMPENSE**
Humiliation publique et mort de milliers d'innocents	Médaille présentée dans un joli cadre en plastique

Comme ils sont pratiques, les ingénieurs comparent d'abord les risques aux avantages qu'ils peuvent leur procurer et décident qu'il vaut mieux ne pas prendre de risque. Le meilleur moyen d'éviter les risques consiste à affirmer que toute activité est techniquement irréalisable pour des raisons beaucoup trop compliquées à expliquer.

Si cette méthode ne suffit pas à stopper un projet, l'ingénieur passe à sa seconde ligne de défense :

« C'est techniquement possible
mais cela coûtera beaucoup trop cher. »

La technique la plus rapide pour rendre un projet trop coûteux consiste à doubler les moyens nécessaires en prétendant que cela permettra d'éviter les erreurs.

L'EGO DES INGÉNIEURS

Question ego, deux choses comptent pour l'ingénieur :

- Son intelligence supérieure
- Le nombre d'appareils sympas qu'il possède.

Le moyen le plus rapide de faire résoudre un problème par un ingénieur c'est de lui dire que le problème est insoluble. Aucun ingénieur ne peut lâcher un problème insoluble tant qu'il ne l'a pas résolu. Aucune maladie ni aucune distraction ne parviendront à le faire abandonner. En général, il prend ce genre de défi très à cœur, cela tourne très vite à une lutte sans merci contre les lois de la nature.

L'ingénieur peut rester des jours sans manger ni se laver pour résoudre un problème. (Ça lui arrive aussi simplement d'oublier.) Et lorsqu'il parvient à trouver la solution, il éprouve une poussée d'ego plus forte qu'un orgasme ; même qu'un orgasme provoqué par des rapports avec autrui. Non seulement c'est meilleur sur le moment, mais la jouissance dure aussi longtemps que les autres acceptent de l'écouter raconter sa victoire.

Rien ne menace plus l'ingénieur que l'évocation de quelqu'un doté de plus grandes compétences techniques. Les gens normaux se servent parfois de cette faiblesse pour faire travailler l'ingénieur davantage.

Lorsqu'un ingénieur dit qu'il est impossible de faire telle ou telle chose (une programmation pénible par exemple), certaines personnes habiles n'hésitent pas à lancer d'un air navré quelque chose comme :

« Je vais demander à Jacques ce qu'il en pense. Il sait résoudre les problèmes techniques épineux. »

A ce moment-là, mieux vaut pour la personne normale qu'elle ne se trouve pas entre l'ingénieur et le problème parce que l'ingénieur va fondre sur le problème tel un aigle sur sa proie.

Les ingénieurs communiquent avec leurs machines. Le cliquetis du moteur de la voiture les taquine gentiment : « Je parie que tu ne me trouveras pas. »

L'ordinateur ronronne son approbation lorsqu'il rédige un programme particulièrement brillant.

Le grille-pain ne cesse de répéter : « Pas encore, pas encore... », jusqu'à l'expulsion du toast.

Entouré de machines, l'ingénieur ne se sent jamais seul ni jugé sur son apparence. Il se trouve entre amis.

Rien d'étonnant donc à ce que les ingénieurs investissent tant d'ego dans leurs « amis ».

LES INGÉNIEURS EN IMAGES

QU'EST-IL ARRIVÉ AU ROBOT QUE TU CONSTRUISAIS ?
PERSONNE NE PEUT FABRIQUER UN ROBOT. C'EST IMPOSSIBLE.

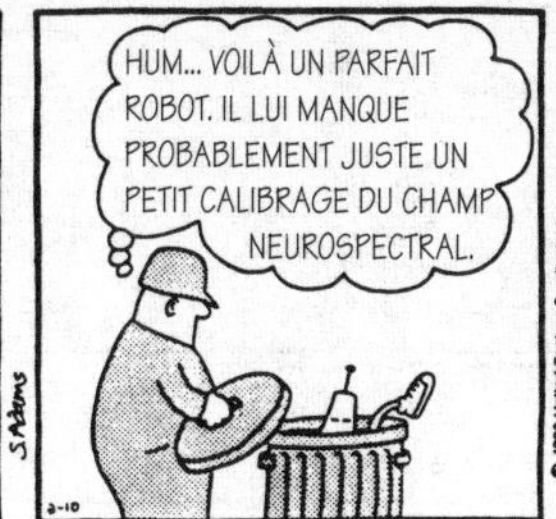
HUM... VOILÀ UN PARFAIT ROBOT. IL LUI MANQUE PROBABLEMENT JUSTE UN PETIT CALIBRAGE DU CHAMP NEUROSPECTRAL.

CE PROJET DE ROBOT ÉTAIT TRÈS MAUVAIS POUR MON EGO D'INGÉNIEUR.
HÉ ! DEVINE QUI EST BIEN MEILLEUR QUE TOI !
© 1992 United Feature Syndicate, Inc.

DILBERT, VOICI VOTRE NOUVEAU COLLABORATEUR, ZIMBOU LE SINGE.

ZIMBOU A APPRIS LE FRANÇAIS GRÂCE À UN PROGRAMME SPÉCIAL OFFERT PAR LES GARDIENS DU ZOO.

CE SINGE EST UNE INSULTE À NOTRE INTELLIGENCE, CELLE DE MES COLLÈGUES COMME MOI-MÊME !
COMME LA « MIENNE », PAS « COMME MOI-MÊME ».
© 1991 United Feature Syndicate, Inc.

ÉCOUTE, ZIMBOU, TU AS PEUT-ÊTRE APPRIS À PARLER AU ZOO, MAIS IL EN FAUT PLUS QUE ÇA POUR ÊTRE INGÉNIEUR.

DILBERT, ZIMBOU, ON VA PRENDRE UN CAFÉ À LA CAFÈTE ?

BON, MAIS APRÈS DIX HEURES IL NE SUFFIT PAS DE SAVOIR PARLER POUR ÊTRE INGÉNIEUR.
PAS AUJOURD'HUI... ON A UNE RÉUNION.
© 1991 United Feature Syndicate, Inc.

IL EST TEMPS DE METTRE UN TERME À CE PETIT JEU, ZIMBOU !

TES COMPÉTENCES LINGUISTIQUES NE SONT QUE DU PAR CŒUR. LES SINGES SONT INCAPABLES DE LOGIQUE ET DE RAISONNEMENT.

HA ! ET CE PROGRAMME QUE TU ÉCRIS, C'EST PEUT-ÊTRE DU « BASIC ».
ÇA T'ARRIVE DE TRAVAILLER ?
© 1991 United Feature Syndicate, Inc.

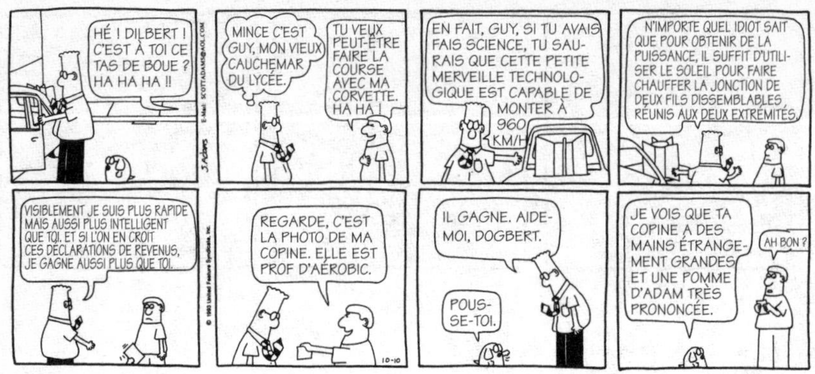
HÉ ! DILBERT ! C'EST À TOI CE TAS DE BOUE ? HA HA HA !!
MINCE C'EST GUY, MON VIEUX CAUCHEMAR DU LYCÉE.
TU VEUX PEUT-ÊTRE FAIRE LA COURSE AVEC MA CORVETTE. HA HA !
EN FAIT, GUY, SI TU AVAIS FAIS SCIENCE, TU SAURAIS QUE CETTE PETITE MERVEILLE TECHNOLOGIQUE EST CAPABLE DE MONTER À 960 KM/H
N'IMPORTE QUEL IDIOT SAIT QUE POUR OBTENIR DE LA PUISSANCE, IL SUFFIT D'UTILISER LE SOLEIL POUR FAIRE CHAUFFER LA JONCTION DE DEUX FILS DISSEMBLABLES RÉUNIS AUX DEUX EXTRÉMITÉS.
VISIBLEMENT JE SUIS PLUS RAPIDE MAIS AUSSI PLUS INTELLIGENT QUE TOI. ET SI L'ON EN CROIT CES DÉCLARATIONS DE REVENUS, JE GAGNE AUSSI PLUS QUE TOI.
REGARDE, C'EST LA PHOTO DE MA COPINE. ELLE EST PROF D'AÉROBIC.
IL GAGNE. AIDE-MOI, DOGBERT.
POUSSE-TOI.
JE VOIS QUE TA COPINE A DES MAINS ÉTRANGEMENT GRANDES ET UNE POMME D'ADAM TRÈS PRONONCÉE.
AH BON ?

ALORS ÇA C'EST UN PEU FORT... NOUS LES INGÉNIEURS, ON A DE VIEUX IBM 286 ET VOUS VOUS PAYEZ LA SUPER STATION DE TRAVAIL SPARC.
CORRIGEZ-MOI SI JE ME TROMPE, MAIS LA SEULE CHOSE QUE VOUS SACHIEZ FAIRE C'EST REGARDER L'ÉCONOMISEUR D'ÉCRAN.
COMMENT CE BALLON FAIT-IL POUR REBONDIR SANS CESSE ?
SI QUELQU'UN A BESOIN DE MOI, JE SUIS EN TRAIN DE FAIRE DÉFILER UN PEU DE TEXTE.

15

LE CHANGEMENT

Le « changement » est demeuré une chose tout à fait banale pendant des siècles et des siècles. Mais grâce aux consultants, il s'est élevé au rang de concept commercial. Tout a commencé avec la compression de personnel.

De nombreux cadres ont perdu leur emploi à la suite de compressions de personnel. Avec beaucoup de sagesse, ces ex-cadres se sont reconvertis dans l'« expertise », ce qui leur assure un statut nettement plus valorisant que celui de SDF.

Le principal avantage du conseil en changement, c'est qu'il se vend à n'importe quelle entreprise. Les sociétés se voient plus souvent changées que tout un groupe de nouveau-nés lors d'un concours de bière. *

L'argumentation de vente de l'expert-conseil ressemble un peu à ceci :

Consultant : « Alors, est-ce que vous envisagez de changer quelque chose ? »
Dirigeant : « Eh bien euh... oui, je crois. »
Consultant : « Avez-vous mis en place un plan de gestion du changement ? »
Dirigeant : « C'est quoi ? »
Consultant : « Vous courez à la catastrophe !!! Vite, donnez-moi de l'argent ! »

LA PEUR DU CHANGEMENT

Les gens détestent le changement, et ils ont bien raison. Le changement nous rend plus stupides, enfin relativement. Le changement ajoute de nouvelles informations dans l'univers, des informations que nous ignorons. La somme de nos connaissances, en proportion de toutes les choses qu'il est possible de connaître, diminue un peu plus chaque fois que quelque chose change.

Et pour commencer, même si on ne considère qu'un pour cent des connaissances globales de l'univers, la plupart d'entre nous n'en savent franchement guère plus que leur mobilier. J'ai horreur de constater en me réveillant le matin que le fossé intellectuel qui me sépare de mon buffet s'est réduit. Ce n'est pas la meilleure façon de commencer sa journée.

D'un autre côté, le changement est bon pour les gens qui le provoquent. Eux, ils comprennent les nouvelles informations ainsi ajoutées dans l'univers. Ils deviennent plus intelligents par rapport au reste d'entre nous. C'est une raison suffisante pour saboter leurs efforts. Je recommande le sarcasme, avec une légère trace de menace dans la voix.

Partisan du changement : « J'espère que je peux compter sur votre soutien. »

---

* Je sais, cette analogie est parfaitement déplacée et elle n'ajoute absolument rien à ce chapitre, mais j'ai passé toute la matinée dessus et je ne la supprimerai pour rien au monde.

Vous : « Aucun problème. Je serai ravi de menacer mes objectifs à court terme pour vous aider à atteindre le but de votre carrière. »
Partisan du changement : « Ce n'est pas exactement... »
Vous : « Cela ne me fait rien de me sentir comme un pauvre rongeur désorienté ni de faire des heures supplémentaires, surtout si c'est pour me retrouver avec un nouveau système contre lequel je me suis vigoureusement battu. »

La gestion du changement a pour objet de duper les employés un peu lents d'esprit en faisant appel à leur sens de l'aventure et leur amour du défi dans le but de leur faire croire que le changement est bon pour eux. C'est comme convaincre une truite de sauter hors de l'eau pour se faire enlever les arêtes. (Les truites n'ont aucun esprit d'équipe.)

Pour surmonter l'aversion naturelle des victimes, les consultants ont mis au point toute une batterie de techniques de gestion poussées, que je me propose de résumer pour vous.

LA COMMUNICATION SANS CONTENU

Face au changement, les salariés ne se posent qu'une seule question : « Que va-t-il m'arriver ? » Tout programme de communication réussi en matière de gestion du changement permettra d'éviter cette question.

Il est rare que le changement d'une entreprise ait pour résultat que tout le monde soit heureux et que personne ne se fasse malmener. Ce qui, parfois, pose problème : un remaniement nécessite la participation de tous, y compris celle des éventuels malmenés.

Pour la direction, le truc, c'est de bercer tout le monde de fausses espérances jusqu'à ce que le changement soit intervenu et que les tocards puissent être éliminés pour avoir malmené les autres.

La communication sur le changement ressemble fort à un sandwich en bois. (Là, suivez-moi bien). Si vous mettez suffisamment de garniture à l'intérieur, quelqu'un finira bien par l'avaler. Sans coïncidence aucune, la même personne (disons « peu douée ») a toutes les chances de se faire remarquer comme victime potentielle après un changement profond.

Il est tout à fait possible de tromper les xylophages peu doués en organisant des tas de réunions et en envoyant des messages et des bulletins, dans lesquels on mentionne les bonnes choses qui se préparent, sans s'adresser à quiconque en particulier. Les éventuelles victimes se prendront à rêver qu'elles ont leur place dans cet avenir doré. Avec un peu de chance, on pourra même les tromper en leur accordant le titre de « maître du changement ».

LES MAÎTRES DU CHANGEMENT

Les salariés sont informés que s'ils acceptent la nécessité d'un remaniement, ils se verront décerner le titre de « maître du changement » au lieu d'être rejetés au rang de pauvres victimes. C'est l'équivalent pour adulte du Super Power Ranger, sans le super costume ni les super gadgets. Si on me donnait la possibilité de devenir un maître du changement, j'accepterais certainement, juste pour avoir une chance de voir à travers la matière.

Les salariés cyniques qui préfèrent rester à l'écart à tourmenter les maîtres du changement portent également un nom. On les appelle les « tourmenteurs des maîtres du changement ». Mais c'est une autre histoire.

LE MOUVEMENT PERPÉTUEL

Le changement est déclenché par les consultants. On a encore besoin de consultants ensuite pour savoir comment gérer le changement. Lorsqu'on a terminé, on a encore besoin de consultants pour s'entendre dire que l'environnement a changé et qu'on devrait à nouveau changer.

C'est une petite machine bien huilée qui fonctionne en circuit fermé. C'est le problème avec les consultants qu'on paie à l'heure. Dans les petites villes, il est même interdit aux experts-conseils d'être pompiers bénévoles. On craint en effet qu'ils ne passent leur temps à mettre le feu à la ville.

16

LA PREPARATION DU BUDGET

La budgétisation a été inventée par une race d'extra-terrestres sadiques s'apparentant à de gros chats. Ces martiens ont enseigné toutes les lois de la préparation du budget aux pharaons égyptiens qui s'en sont servis comme de châtiments durant la construction des pyramides. Ceci explique comment on a pu faire transporter sur des kilomètres ces immenses blocs de pierre de vingt tonnes par trois personnes seulement.

Le plan diabolique des félins extra-terrestres consistait à tourmenter d'abord de larges segments de la population humaine, puis à revenir plus tard pour les dévorer. Malheureusement pour eux, ils ont garé leur vaisseau amiral sur un point chaud de la galaxie, se sont recroquevillés pour faire un somme et ont fini par se faire aspirer par le Soleil.

Au fil du temps, on a oublié la véritable fonction de la budgétisation. Aujourd'hui, pour cause d'une interprétation malheureuse des hiéroglyphes *, elle est considérée comme une méthode permettant de contrôler les dépenses dans les grandes entreprises. Par une certaine ironie du sort, on est arrivé à ce résultat en retirant d'abord les managers du flot productif, où ils étaient tentés de dépenser de l'argent, pour les enfermer dans des réunions pouvant durer des mois.

Contrairement à ce qu'on pourrait penser, le mot « budget » ne correspond pas à un montant précis. Il change selon les époques de l'année afin de tirer pleinement parti du principe de « l'incertitude budgétaire » :

* Le hiéroglyphe du mot « réunion » ressemble beaucoup au symbole signifiant « Aïe !! Un sphinx s'est assis sur mon pied ! »

Si vous changez le budget suffisamment souvent, les salariés finiront par se comporter comme des lapins tenus en joue et n'oseront plus rien faire de peur d'attirer l'attention. Lorsqu'on a peur, on dépense peu. Et lorsqu'on dépense peu, la direction a davantage de droits de souscription à se partager, ce qui entraîne parfois l'entreprise dans une terrible spirale menant au dépôt de bilan.

Je suis sûr que je voulais dire quelque chose avant tout cela, mais ça ne devait pas être si important.

GONFLER SON BUDGET

Vous pouvez vous garantir une bonne part du budget par la simple exagération de votre valeur et de vos besoins. S'il est vrai que tout cadre connaît et utilise cette technique depuis que le premier homme des cavernes a exigé deux morceaux de bois calcinés pour gratter la paroi de la grotte, il n'y a pas de raison que cela ne marche pas pour vous.

Votre chef s'attend de toute façon à vous voir lui soumettre un chiffre élevé. Chacun s'emploiera ensuite, au cours de la lutte consacrée entre ceux qui n'y connaissent rien et les pros de la mauvaise foi, à lui faire subir des coupes sombres.

Certains salariés commettent l'erreur naïve de demander le double de ce dont ils ont besoin. Le chef qui voit immédiatement clair dans ce petit jeu maladroit divise le montant demandé par deux. (Les chefs ne sont pas aussi bêtes qu'ils en ont l'air !)

La solution, évidente à mes yeux, consiste à demander plusieurs milliards de plus que ce dont on a besoin. Si, par exemple, vous avez besoin de trois ordinateurs personnels pour votre service, demandez cinquante milliards. Naturellement, votre demande sera accueillie par des regards courroucés, parfois même des jurons. Mais si vous parvenez à obtenir, disons, vingt pour cent de ce que vous espériez, cela représente encore dix milliards. Et finis les messages d'erreur du genre « mémoire insuffisante ».

DÉFENDRE SON BUDGET

La direction essaie toujours de réduire le budget en vous envoyant une armée d'analystes financiers de bas étage qui n'y connaissent rien, et vous posent des questions perspicaces, comme : « Que pourriez-vous faire si vous aviez la moitié de votre budget actuel ? »

Votre première réaction sera peut-être de renverser la tête en arrière et de rire en vous moquant de votre interlocuteur, sur un ton que vous réservez à ceux qui n'y connaissent « vraiment » rien.

Ne cédez pas à cette impulsion.

Avec les analystes financiers, mieux vaut user d'humour. Ils font des recommandations à la direction sur les réductions de budget. Faites semblant de vous intéresser à eux personnellement (comme si vous pouviez avoir des amis qui passent leur temps le nez dans les chiffres). Les gens qui travaillent au service financier ont rarement de vrais amis, aussi n'ont-ils aucun élément de référence pour se rendre compte que vous les faites marcher. Parfois on arrive à protéger des milliards de francs grâce à un ridicule investissement dans un paquet de petits gâteaux que l'on dépose négligemment sur le bureau de l'analyste, en lui glissant quelque chose de très personnel, comme : « T'as passé un bon week-end, mon grand ? »

Si vous êtes amené à défendre votre budget, retenez ces deux techniques : (1) le mensonge et (2) le mensonge.

Au début, votre conscience vous torturera peut-être un peu mais ces mauvais sentiments disparaîtront dès que vous aurez essayé de dire la vérité et que vous découvrirez qu'on vous a totalement dépouillé. Dans le pire des cas, vous vous habituerez à mentir et vous finirez par apprécier le mensonge.

La technique du mensonge n'est pas à la portée de tout le monde. Voyez les exemples suivants pour affiner votre pratique :

Déconseillé

« Bon, puisque tout ce qu'on entreprend se solde à quatre-vingt-dix pour cent par un échec, et que, de toute façon, personne dans l'équipe ne pense qu'un client achèterait le produit, on n'a qu'à mettre tout mon service dans un sac en toile pour le noyer dans la rivière, comme ça on est sûr de gagner la bataille. »

Recommandé

« Vade retro Satanas !!! Enfin quoi !! Est-ce que tu te rends compte que si tu me retires un seul centime de budget, ça va entraîner une réaction en chaîne qui pourrait modifier la trajectoire de la planète, faire fondre la calotte glaciaire et nous condamner à une mort certaine par congélation !!!!??? »

Déconseillé

« D'accord, tu m'as eu. C'est vrai qu'on n'a pas besoin de tout cet argent. C'était juste un truc pour accroître mon empire personnel et obtenir une promotion pour enfin avoir une assistante séduisante à emmener en voyage. »

Recommandé

« Aaaargh !!! Comment peux-tu imaginer un instant une chose pareille ! Je me débrouille déjà avec des bouts de ficelle. J'en suis de ma poche. Mais bon, moi je crois à ce projet, contrairement au projet « Nous allons marcher sur Saturne » qui obtient tous les fonds qu'il réclame. Et puis, tu n'as qu'à leur dire que j'ai dit que tu n'a pas l'air idiot ».

N'oubliez jamais de joindre des diagrammes et des tableaux confus à vos demandes de budget. On ne fournit jamais assez d'informations lorsqu'on défend son budget. L'ennui et la confusion sont vos alliés dans cette bataille.

Vos graphiques et autres annexes doivent avoir l'air suffisamment complexe pour faire passer les deux messages suivants :

1. « J'ai étudié mes besoins à fond. »

2. « Les gens intelligents n'auraient aucun mal à comprendre ce diagramme. Ne vous rangez pas dans la catégorie des « autres ».

DÉPENSER TOUT

Quoi que vous fassiez, n'ayez jamais un sou restant en fin d'année. Votre direction le percevrait comme un signe d'échec et de faiblesse, sans parler de votre manque d'aptitude dans le domaine des prévisions.

En guise de punition, votre budget pour l'année suivante subirait une réduction proportionnelle.

Votre direction ne vous donnerait pas tout cet argent si elle ne voulait pas que vous le dépensiez. Toutefois, il peut se révéler nécessaire d'élargir votre définition du genre de dépenses essentielles à la bonne santé de l'entreprise.

Pour utiliser le reste du budget qui n'a pas été dépensé, je recommande la commande en gros de serviettes en papier. Les produits en papier ont toujours leur utilité et ils présentent l'avantage de pouvoir totalement disparaître dans les toilettes lorsqu'on a besoin de faire de la place dans le placard.

DILBERT PRÉPARE LE BUDGET.
D'ABORD, IL FAUT QUE TU APPRENNES NOTRE SYSTÈME.

IL A ÉTÉ MIS AU POINT IL Y A 400 ANS PAR UN MOINE FOU QUI S'EST ENFERMÉ DANS UN TONNEAU À VIN.

MALHEUREUSEMENT, IL EST TOUJOURS LÀ.
HÉ, J'AI UNE AUTRE IDÉE.

LES AUTRES INGÉNIEURS M'ÉVITENT PARCE QUE JE SUIS CHARGÉ DU BUDGET.
ESQUIVE.

ILS SAVENT QUE JE RISQUE À TOUT MOMENT DE LEUR SAUTER DESSUS POUR LEUR POSER D'HYPOTHÉTIQUES QUESTIONS STUPIDES.
ESQUIVE

ET SI TU DISPOSAIS DE MOITIÉ MOINS D'ÉLECTRICITÉ L'AN PROCHAIN ?
TROP TARD. JE T'AI ESQUIVÉ.

ALORS DILBERT, IL PARAÎT QUE TU T'OCCUPES DU BUDGET MAINTENANT ?

HA HA HA ! DIS DONC, ÇA DOIT ÊTRE PASSIONNANT D'ALIGNER DES CHIFFRES COMME ÇA.

HA HA ! JE SUIS BIEN CONTENT D'AVOIR UN VRAI TRAVAIL, MOI !
PLUS MAINTENANT.
CLIC

J'AI RÉSUMÉ LES RÉPERCUSSIONS DU BUDGET SUR SIX CENTS PROJETS EN TROIS POINTS.

« - L'OXYGÈNE EST BON
- LA CONCURRENCE EST MAUVAISE
- J'AIME LE CHOCOLAT »

À VOTRE AVIS, C'EST ASSEZ DÉTAILLÉ POUR LA DIRECTION ?
SUPPRIMEZ JUSTE LA CONCURRENCE.

J'AI TROUVÉ UNE COQUILLE DANS LE TABLEAU... MAIS C'EST TROP TARD.
© 1993 United Feature Syndicate, Inc.
S. Adams

ON A ATTRIBUÉ UN POSTE À UN AUTRE SERVICE MAIS PAR INADVERTANCE ON A GARDÉ L'ARGENT ET LE PERSONNEL.
2-17

... BON, VOUS ÊTES TOUJOURS PAYÉ MAIS VOUS N'AVEZ PLUS LE DROIT DE TRAVAILLER.
C'EST LE PLUS BEAU JOUR DE MA VIE.
Internet: scottadams@aol.com

BOUM !
S. Adams E-Mail: SCOTTADAMS@AOL.COM

CRAAAC !
1-8-94

IL PARAÎT QUE VOTRE ENTREPRISE A RÉDUIT LES BUDGETS DÉPLACEMENTS.
QUELQU'UN PEUT ME PRÊTER UN TICKET DE METRO POUR RENTRER ?
© 1993 United Feature Syndicate, Inc.

L'ENTREPRISE EST À DES MILLIARDS EN-DESSOUS DE SES PRÉVISIONS.
© 1993 United Feature Syndicate, Inc.
S. Adams
À PARTIR DE MAINTENANT, SEULS LES CADRES DE MON NIVEAU ET AU DESSUS AURONT DROIT AUX PETITS GÂTEAUX EN RÉUNION.
2-4

ÇA NE SERA FACILE POUR PERSONNE. EUH, JE NE SAIS MÊME PAS SI JE PEUX EN MANGER AUTANT À MOI TOUT SEUL.
Internet: scottadams@aol.com

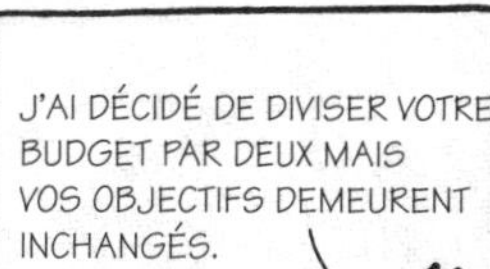
J'AI DÉCIDÉ DE DIVISER VOTRE BUDGET PAR DEUX MAIS VOS OBJECTIFS DEMEURENT INCHANGÉS.

S. Adams E-Mail: SCOTTADAMS@AOL.COM

VOILÀ UN EXCELLENT PLAN. ON EMPOCHE TOUS LES BÉNÉFICES POUR LA MOITIÉ DES COÛTS !
10-5

POURQUOI EST-CE QUE CE SONT LES GENS LES PLUS IDIOTS QUI DÉFINISSENT LA RÉALITÉ ?
JE POURRAIS PEUT-ÊTRE REVOIR LE DOSSIER POUR AUGMENTER LES RÉSULTATS.
© 1994 United Feature Syndicate, Inc.

DILBERT, ALLEZ VOIR À LA COMPTABILITÉ CE QUE SIGNIFIENT CES CHIFFRES.
GOUPS

NON... JE VOUS EN PRIE... ILS NE SONT MÊME PAS HUMAINS !!!
© 1990 United Feature Syndicate, Inc.

JE NE L'AIME PAS.
SURPRISE.

CE DOIT ÊTRE LE SERVICE COMPTABILITÉ.

JE... J'AURAIS QUELQUES QUESTIONS AU SUJET DE CE RAPPORT DE B-BUDGET.

© 1990 United Feature Syndicate, Inc.
JE VOUS DÉRANGE ?
TOUJOURS.

IMBÉCILE ! POURQUOI VENIR À LA COMPTABILITÉ ?!!
© 1990 United Feature Syndicate, Inc.

EUH... J'AVAIS CERTAINES QUESTIONS, MONSIEUR... MADAME... EUH, MONSIEUR ?

VOUS ÊTES UN HOMME OU UNE FEMME ?
À LA COMPTABILITÉ, ÇA N'A VRAIMENT AUCUNE IMPORTANCE.

ALORS... COMME ÇA VOUS ÊTES VENU POUR AVOIR DES EXPLICATIONS AU SUJET DE LA NOTE SUR LE BUDGET, HEIN ?
ENLÈVE-LUI SES CHAÎNES, FRANCIS.
© 1990 United Feature Syndicate, Inc.

NORMALEMENT ON DEVRAIT VOUS TORTURER ET VOUS TUER POUR ÇA.

MAIS VOUS COMPRENEZ BIEN QUE MES QUESTIONS SONT JUSTIFIÉES ?
NON. MAIS JE VOUS DONNE UNE PROMOTION VOUS DEVENEZ MON NOUVEL ANALYSTE.

TÉMOIGNAGES À PROPOS DE LA COMPTABILITÉ

De : (respect de l'anonymat)
Pour : scottadams@aol.com

Scott,

Il y a quelques années, la direction locale avait décidé d'arrêter les escalators de descente afin de faire des économies, sans rire. Ils ont vite été remis en marche lorsque le directeur qui devait faire visiter les locaux au pdg a cité cet exemple, en expliquant à ce dernier combien il était imaginatif sur le plan des économies.

De : (respect de l'anonymat)
Pour : scottadams@aol.com

Scott,
Notre entreprise a sollicité des idées pour réduire les coûts. Quelqu'un a décidé qu'on pouvait économiser « x » francs en supprimant les savonnettes parfumées dans les toilettes pour dames. Le nouveau directeur du personnel, plein d'enthousiasme et de naïveté, a trouvé que c'était vraiment une bonne idée et nous a tous annoncé la nouvelle par le biais de la messagerie électronique.

Inutile de dire que les femmes ont explosé. Le montant estimé des économies approchait le montant total de ce que nous payons au service de nettoyage, sachant que sa rémunération comprend la fourniture des savonnettes parfumées.

La messagerie s'est enflammée : « C'est une idée sexiste », « Pourquoi ne pas supprimer les machines à café », « Supprimons les primes pour les cadres... »

Finalement, il a fallu un message d'un cadre, expliquant les méthodes d'une directrice des ventes qu'il connaît, pour faire taire tout le monde et renverser la vapeur. Avant de traiter avec un client potentiel, cette femme vérifie toujours les réserves de savonnettes parfumées dont il dispose dans ses toilettes. S'il n'y en a pas, c'est que la société file un mauvais coton.

HISTOIRE VÉCUE PAR MES SOINS

Un de mes collègues chez Pacific Bell s'était rendu compte que le service de gardiennage enlevait les rouleaux de papier toilette usagés de leur support bien avant que la dernière feuille n'ait été utilisée. Pour lui, c'était un énorme gaspillage, voire une sorte d'arnaque mise au point par le service de nettoyage.

J'ai fini par lui faire abandonner cette idée de conspiration, mais il est resté convaincu qu'il fallait faire quelque chose. Il a passé l'après-midi à rédiger une note savante sur le problème, en calculant tous les coûts, puis l'a envoyée à l'administration.

Il attend toujours la réponse.

17

LA VENTE

Si les produits de votre société sont trop chers et défectueux, vous pouvez rétablir l'équilibre en mettant au point un bon programme d'incitation à la vente. Aucun problème n'est insurmontable pour un commercial bien motivé.

Il est parfaitement établi, par exemple, qu'une femme de quarante-cinq kilos qui a peur génère suffisamment d'adrénaline pour soulever un monospace Renault malencontreusement garé sur son pied. Les expériences ont également montré qu'au bout de la troisième fois que vous garerez votre monospace sur son pied elle écharpera les chercheurs avec son stylo en criant quelque chose comme « NE ME DEMANDEZ PLUS JAMAIS D'ÊTRE SECRÉTAIRE TEMPORAIRE DANS CE TROU À RAT !!! ». Le plus étrange, c'est que cette femme criera en lettres majuscules. Et c'est là mon argument : les gens sont prêts à n'importe quoi si on leur trouve le bon incentive.

Si les ventes sont en baisse dans votre entreprise, c'est que les forces de vente n'ont pas les bons incentives. Il est très aisé de remédier à cette situation. Il vous suffit d'augmenter les quotas de vente jusqu'à ce que les forces de vente soient obligées de choisir entre deux styles de vie :

A. Vivre dans la duperie et le mensonge
B. Vivre dans une caravane.

Les commerciaux ne peuvent survivre plus de trois minutes dans un camping. C'est le temps nécessaire aux autres résidents pour leur donner la chasse et les abattre. (Les campeurs en caravane ont tendance à garder de mauvais souvenirs des vendeurs les ayant convaincus que le métal est un bon matériau pour se protéger de la chaleur estivale).

Les vendeurs intelligents choisissent en général la première option : la duperie et le mensonge. C'est une chose à laquelle ils peuvent s'habituer et, avec un peu de patience et de pratique, ils apprennent même à l'apprécier. Il n'existe guère de plus grand plaisir que celui de vendre des produits défectueux à des clients odieux. Ce n'est pas quelque chose dont vous vous vanteriez devant vos petits-enfants, mais ça vaut toujours mieux que d'attraper un rhume en forêt.

La vente n'est pas chose facile. Bien sûr, n'importe qui peut vendre des produits de bonne qualité à prix raisonnable. C'est à la portée de tout le monde. L'art véritable consiste à « fourguer » des marchandises vraiment minables par rapport à celles qu'offrent la concurrence. Le service marketing de votre société fait ce qu'il peut pour combler ce fossé. (Voir le chapitre 11 consacré au marketing.) Mais c'est à la force de vente de faire le reste.

Voici quelques conseils pour devenir un super professionnel international de la vente.

Eviter de parler des coûts

N'expliquez jamais le véritable coût de votre produit à vos clients. Cela ne ferait que les encourager à prendre des décisions sensées. Concentrez-vous sur les multiples avantages économiques « intangibles » qu'offre votre entreprise. Et n'oubliez jamais que le trouble et la confusion sont vos meilleurs alliés dans la vente.

Exemple :
« Si vous ouvrez un compte chez nous, votre argent vous rapportera une inflation non imposable dès le premier jour ! »

Faire des comparaisons hors de propos

Attaquez-vous sans vergogne à la stupidité naturelle du client moyen. La plupart des gens sont incapables de faire la différence entre un argument logique et un porc-épic attaché sur leur front *. Soumettez au client des comparaisons aussi bêtes qu'hors de propos.

Exemple :
« Oui, bien sûr, quatre-vingts kilomètres/heure ce n'est pas très impressionnant pour une voiture de sport, mais c'est mieux que d'avoir à se déplacer à cloche-pied. »

Faire corps avec le client

Ne soyez pas un simple vendeur, devenez l'associé de votre client. La nuance a son importance. Le vendeur se contente de prendre l'argent du client en échange de la fourniture d'un bien. L'associé prend l'argent du client mais lui apporte une « solution » qui a tout l'air d'un « produit » sauf qu'elle coûte plus cher.

L'associé travaille avec ses clients afin de les aider à définir leurs besoins. Cela pose parfois problème lorsque la seule chose qui distingue le produit est son défaut. Dans le cas de la voiture de sport dont la vitesse de pointe ne dépasse pas quatre-vingts, par exemple, vous pouvez mettre l'accent sur la sécurité.

Exemple :
« Personne n'est jamais mort dans une voiture de sport, si ce n'est de faim. C'est ce qui compte le plus. »

---

* Enfin une analogie qui ne manque pas de piquant.

L'attitude

L'optimisme est contagieux. Le vendeur professionnel s'efforce d'éviter l'emploi d'expressions négatives, favorisant toujours les mots à résonance positive.

Ne pas dire	**Dire**
Technologie ancienne	Système compatible
Très cher	Super qualité
Pas disponible	On se l'arrache
Sombre merde	Système autonome
Incompatible	Marque déposée

Trouver les décideurs

Le vendeur professionnel essaie toujours de trouver les décideurs de l'entreprise. Les décideurs sont les moins au courant de la situation et par conséquent les plus susceptibles de croire tout ce que leur raconte le vendeur.

Un des meilleurs moyens de savoir si la personne que vous avez devant vous est le décideur est d'examiner son bureau et son mobilier. Les décideurs sont rarement logés dans des locaux qui font penser à une grosse boîte à chaussures, autrement dit un « bureau paysagé ». Et vous ne verrez jamais, accroché au mur dans le bureau d'un décideur, un de ces panneaux :

« Qu'est-ce que vous n'avez pas compris dans ce NON ? »
« Dans les délais ou sans défaut. A vous de choisir. »
« Comme on se sent bien chez soi. »

Mais ne vous laissez pas impressionner par un vrai bureau muni d'une porte. Il arrive que les non décideurs aient également un vrai bureau. Testez l'importance de la personne au sein de l'entreprise en lui demandant de quel volume de RAM son ordinateur dispose. Quiconque connaît la réponse à cette question n'est pas un décideur.

Les commerciaux sont capables d'organiser à tout moment des réunions avec les directeurs des sociétés clientes. Les salariés en sont incapables. Devenir caddie de golf en guise de second boulot est le seul moyen dont dispose un salarié moyen pour parler à un directeur. Les directeurs détestent parler aux salariés parce qu'ils leur soumettent toujours des tas de problèmes insolubles. Les commerciaux se contentent de leur offrir à déjeuner. La lutte n'est pas égale.

Le commercial peut se servir de ses facilités de contact avec les directeurs pour menacer les petits « recommandeurs » du plateau, qui occupent des bureaux paysagés dans lesquels ils accrochent de stupides panneaux. Les simples salariés vivent dans la peur que les directeurs entendent parler d'eux en mauvais termes. Et soyez assuré que les directeurs entendent toujours dire du mal d'un salarié qui recommande l'achat d'un autre produit que celui du commercial.

LA VENTE EN IMAGES

NORMALEMENT, CE GENRE DE MANŒUVRE EST RÉSERVÉE AUX CADRES DONT ON VEUT SE DÉBARRASSER. MAIS DANS VOTRE CAS, C'EST UNE DÉLIVRANCE SANS AUTRE FORME DE CÉRÉMONIE.

PUISQUE VOUS ÊTES NOUVEAU, VOUS VOUS CHARGEREZ DES CLIENTS QUI MÉPRISENT NOS PRODUITS ET CHERCHENT À NOUS NUIRE PERSONNELLEMENT.

MICHEL, TU AS PROMIS AU CLIENT DES TRUCS QUE LES INGÉNIEURS NE PEUVENT ABSOLUMENT PAS FOURNIR, TU SAIS CE QUE ÇA SIGNIFIE ?!
S. Adams E-Mail: SCOTTADAMS@AOL.COM
QUE JE SUIS UN SUPER COMMERCIAL ALORS QUE TOI TU N'ES QU'UN MINABLE INGÉNIEUR.
12-14
© 1993 United Feature Syndicate, Inc.

TU DEVRAIS PRENDRE DES COURS DU SOIR.
DE KARATÉ, OUI !

À MON AVIS, LES VENTES NE VONT RIEN FAIRE PENDANT DEUX ANS ET PUIS ELLES VONT BRUTALEMENT MONTER.
POURQUOI ?
VENTES
S. Adams E-Mail: SCOTTADAMS@AOL.COM

ON A RAJOUTÉ LA HAUSSE POUR QUE JE PUISSE FAIRE ADOPTER MON PROJET. LES DEUX PREMIÈRES ANNÉES ME DONNERONT LE TEMPS D'OBTENIR UNE PROMOTION.
VENTES
10-10 © 1994 United Feature Syndicate, Inc.

ET QUI ENDOSSE LA RESPONSABILITÉ ?
C'EST LÀ QUE TU INTERVIENS.

LES RÉUNIONS

Si vous débarquez dans le monde de l'entreprise, vous pensez peut-être à tort que les réunions sont des moments mortels où il faut supporter d'odieux crétins de dimension intergalactique. J'avais les mêmes idées préconçues lorsque j'ai fait mon entrée dans la vie active. Maintenant, je sais que ces réunions sont une forme de comédie dans laquelle chaque acteur interprète l'un des rôles fascinants suivants :

- le maître de l'évidence
- le sadique bien intentionné
- le martyr pleurnichard
- le radoteur
- le dormeur.

Une fois qu'on a compris la vraie nature des réunions, on peut commencer à affiner son jeu et à créer son propre personnage.

Dans ce chapitre, je vous décrirai quelques rôles, classiques, mais n'hésitez pas à mélanger les traits particuliers des différents personnages pour façonner le vôtre.

LE MAÎTRE DE L'ÉVIDENCE

Le maître de l'évidence croit que pendant qu'il étudiait les textes de Platon, de Newton et de Peter Drucker, le reste de la planète regardait « Dallas » à la télé en grignotant des chips. Le « maître » ressent comme un devoir de partager sa grande sagesse à la moindre occasion. Il sait que tout concept, aussi terre-à-terre puisse-t-il lui paraître, sera une révélation cosmique pour les cerveaux de petits pois qui l'entourent.

Parmi les répliques favorites du maître de l'évidence – prononcées avec beaucoup de conviction :

- « Il faut des clients pour faire un chiffre d'affaires ! »
- « Le bénéfice c'est la différence entre les recettes et les dépenses. »
- « La formation est vitale. »
- « Il y a de la concurrence dans ce secteur. »
- « Il est important de retenir les bons salariés. »
- « Il nous faut une solution gagnant - gagnant »

Un maître de l'évidence convainquant a un secret : mélanger condescendance et sincérité. Son public doit croire qu'il s'émerveille vraiment de ce que les autres arrivent du premier coup à s'habiller et à venir au travail tous les jours. Avec, en outre, l'impression qu'il accorde de l'importance à la chose.

Vous pouvez vous entraîner à ce rôle lorsque vous êtes seul. Une banale lampe de bureau suffit. Penchez-vous vers elle et expliquez-lui à plusieurs reprises pourquoi « l'électricité est essentielle » à l'éclairage. Continuez à répéter cette idée de différentes manières. Essayez de mettre en place un balbutiement ou tout au moins l'habitude exaspérante de vous arrêter pour réfléchir au mot juste. Continuez de vous entraîner jusqu'à ce que vous parveniez à faire griller l'ampoule en lui en donnant simplement l'ordre.

LE SADIQUE BIEN INTENTIONNÉ

Le sadique bien intentionné croit que les réunions doivent faire mal. C'est fondamentalement l'attitude qu'adoptent les tueurs en série les plus performants. En fait, ils ont la même devise :

« Est-ce que ça fait mal ? Oui, et ça ? »

Le sadique bien intentionné dispose de divers outils pour mettre les autres mal à l'aise. Ces techniques peuvent s'employer seules ou combinées :

- Programmer des réunions excessivement longues quel qu'en soit le thème.
- Ne pas avoir d'objectif précis.
- Ne pas prévoir de pause-pipi (surtout lorsqu'on sert du café).
- Organiser des réunions le vendredi après-midi ou à l'heure du déjeuner.

Ce rôle doit être interprété avec un mélange de sincérité, de dévouement et surtout avec l'indifférence d'un sociopathe pour tout ce qui concerne la vie des autres. Vous pouvez vous mettre dans la peau du personnage en regardant sans cesse des films où la famille du héros se fait massacrer et où le chien meurt ensuite en prenant une balle à sa place. (Sélectionnez les titres dans lesquels figurent des acteurs particulièrement mauvais mais bons en arts martiaux.)

LE MARTYR PLEURNICHARD

Les martyrs pleurnichards restent plus longtemps sur scène. C'est pourquoi la concurrence pour ce rôle est si grande. Quand vous êtes martyr pleurnichard, les gens vous détestent pour ce que vous êtes mais cela peut alimenter votre créativité. Dans la comédie, le public participe au spectacle.

En tant que martyr pleurnichard, vous pouvez tourner vos récriminations en anecdotes pour illustrer combien votre valeur et votre intelligence sont supérieures à celles des stupides obstructionnistes qui vous entourent. Imaginez que vos collègues tentent d'imiter vos moindres gestes, apitoyez-vous un tantinet sur votre propre sort et le tour est joué : vous avez la parfaite attitude du martyr pleurnichard.

Lamentations recommandées

- « On dirait qu'il va encore falloir que je remplace le patron. »
- « N'hésitez pas à prendre la dernière goutte de café. Je gratterai

un peu le dépôt au fond de la cafetière avec mon stylo pour le mastiquer pendant la réunion. »

- « Je n'en reviens pas, le pdg veut encore me voir. »
- « [soupir]... Effectivement, je peux faire ça pour vous... J'aurai le temps samedi soir, comme d'habitude. Pas de problème, de toute façon ma femme m'a quitté et elle a emmené les enfants. »
- « Dites donc, j'adorerais pouvoir prendre des congés maladie comme vous qui n'avez rien à faire. »
- « Encore une réunion ? Et voilà, envolée l'unique pause déjeuner de l'année que j'aurais pu prendre. »

LE RADOTEUR

La plupart des rôles majeurs dans une réunion peuvent être indifféremment interprétés par un homme ou une femme. Néanmoins, celui du radoteur est forcément joué par un homme. Les femmes tentent parfois une petite incursion dans le domaine, mais leur interprétation est souvent perçue comme du « blabla » * et non pas comme du vrai « radotage ».

Le rôle du radoteur consiste à ramener tous les sujets à un événement hors sujet auquel il a participé. Il arrive que cet événement ait une chute humoristique, mais le plus fréquemment, ce n'est qu'un moyen de faire savoir à tout le monde combien on est intelligent.

Le maître de l'évidence peut se faire le complice du radoteur, en glissant à l'occasion de petites phrases comme « Il peut faire très froid l'hiver dans les Alpes ». Ces commentaires sont interprétés par le radoteur comme des encouragements à poursuivre et la scène peut durer ainsi pendant des heures.

Le personnage du radoteur est en général un rôle de participation,

---

* Contrairement au radotage, le blabla a rapport au thème abordé, même s'il dure longtemps sans faire passer aucune information utile. Les hommes et les femmes sont tous capables de blablater, mais seuls les hommes font de bons radoteurs.

il est rarement récurrent dans les réunions régulières. C'est parce que même le sadique bien intentionné et le martyr pleurnichard s'en fatiguent. (Dieu sait pourtant s'ils aiment souffrir.)

Le radoteur est du meilleur effet lorsqu'on l'associe au dormeur, dont la description suit.

LE DORMEUR

Le dormeur fait totalement partie du décor. Son rôle ne comporte aucune réplique. Il s'habille à la mode mais de manière pas trop voyante afin de ne pas déconcentrer les autres acteurs.

Il peut tout à fait hocher gentiment la tête lorsque les autres acteurs parlent. Cela évoque le léger balancement d'un arbre sous le vent. Il peut également grignoter des petits gâteaux et siroter du café.

Si vous optez pour ce rôle et qu'on vous oblige à vous exprimer oralement, vous pouvez employer, en dernier recours, une des phrases suivantes :

- « Hum euh. »
- « RAS. »
- « Entièrement d'accord. »
- « Exactement » (à prononcer avec l'accent du midi).

19

LES PROJETS

Si vous n'êtes pas sur un « projet », vous faites probablement un boulot ingrat, ennuyeux et répétitif, telle la fourmi industrieuse qui n'a pour seul but dans la vie que de rapporter des miettes à sa reine.

Mais si vous travaillez sur un projet, votre vie est toute différente. Certes, vous êtes toujours une fourmi qui transporte des miettes, mais il vous faut traverser un festival de danses cosaques pour atteindre la fourmilière. Et vous passez la majeure partie de la journée à fantasmer sur les joies des boulots ingrats, ennuyeux et répétitifs.

Ce chapitre est dédié à tous ceux qui envisagent de participer à un projet. En deux mots :

FUYEZ !! FUYEZ !!

Tout projet, quel que soit son objet, comporte plusieurs étapes. J'aborderai chacune d'entre elles à tour de rôle. En effet, à les traiter toutes en même temps, je prends le risque qu'on trouve mon argumentation un peu hasardeuse. Je ne le supporterai en aucun cas.

CHOIX DU NOM DU PROJET

La réussite d'un projet dépend d'abord de deux choses :

1. La chance

2. Son nom.

Côté chance, il n'y a pas grand-chose à faire, sauf peut-être frotter un peu d'ail sur une pièce que vous déposerez au fond de votre chaussette. C'est ce que je fais. Rien à voir avec une vieille tradition. Simplement, j'aime bien la sensation. Et qui sait si les anciennes traditions n'ont pas ainsi vu le jour. Il faut bien que quelqu'un commence.

Si vous avez tout tenté dans le domaine de la chance, la chose suivante la plus importante à faire est de choisir un nom de projet qui sonne bien. Il vous faut un nom qui évoque à la fois la force et la confiance. Il doit être distingué mais également facile à mémoriser.

Voici la procédure normale pour choisir un nom de projet qui marche :

1. L'équipe se réunit pour se remuer les méninges.

2. Les différentes propositions font l'objet d'un « vote à la proportionnelle ».

3. Le premier choix est soumis à la direction pour approbation.

4. Un directeur adjoint donne au projet le nom de la marionnette qu'il préfère chez les Guignols.

LE CHEF D'ÉQUIPE

La position de chef d'équipe est souvent considérée comme un tremplin vers le poste de cadre. En effet, quiconque est assez crédule pour se mettre sur le dos du travail supplémentaire ne peut que présenter « les qualités requises » pour faire un bon cadre. Compte tenu des préjugés négatifs dont cette position fait l'objet, il est difficile de trouver des volontaires. La direction se voit généralement contrainte de recourir à la conscription pour nommer son chef d'équipe.

Celui-ci doit répondre à un certain profil :

- Le candidat doit savoir préparer les transparents.
- Le candidat doit faire partie d'une espèce vitale à base de carbone.

Le chef d'équipe type est en général une personne sans talent particulier. Cette caractéristique lui sert dans les réunions qui se prolongent. Tandis que toutes les personnes compétentes se tortillent sur leur siège en se disant qu'elles seraient mieux ailleurs à mettre en application leurs compétences, le chef d'équipe peut rester serein, satisfait de voir qu'il ne gaspille aucun talent personnel.

Le mot « chef » est peut-être contestable dans ce contexte puisque le travail d'un chef d'équipe consiste à demander aux gens ce qu'ils devraient être en train de faire, puis à leur demander comment ils s'en sortent, et finalement à les accuser de ne pas être en train de le faire. Mais les qualités de chef peuvent prendre différentes formes. Par exemple, le simple fait de faire chier tout le monde est parfois exactement le remède adéquat.

LES SPÉCIFICATIONS

A un moment du projet, quelqu'un se mettra à se plaindre en disant qu'il faut déterminer les « spécifications » du projet.

Pour cela, il faut aller interroger celui qui ne sait pas ce qu'il veut mais qui, étrangement, sait exactement quand il en a besoin.

On l'appelle « l'utilisateur final » ou plus simplement « l'andouille de service ».

Les études ont montré qu'il n'y a pas plus crétin sur cette planète qu'un « utilisateur final ». Sur le graphique suivant sont classés certains des objets courants de la maison par ordre décroissant.

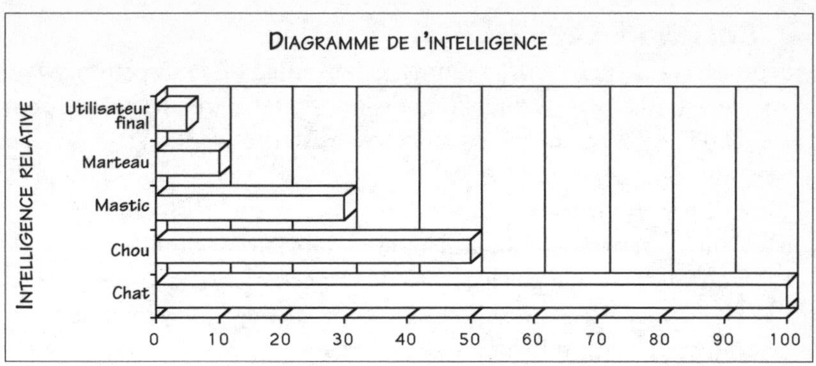

L'équipe continue d'étudier les besoins jusqu'à ce que l'une des deux conditions suivantes soit remplie :

1. L'utilisateur final oublie de respirer, ce qui entraîne sa mort durant son sommeil. *
2. L'équipe décide que les spécifications ne sont finalement plus aussi importantes.

* Mort accidentelle beaucoup plus fréquente qu'on ne le croit.

LE SOUTIEN DE LA DIRECTION

Aucun projet ne peut voir le jour sans le soutien de la direction. Mais le meilleur soutien que la direction puisse apporter à un quelconque projet, c'est de ne pas même soupçonner son existence avant qu'il connaisse la réussite commerciale.

Prendre trop tôt connaissance d'un projet incite la direction à :

- Convoquer fréquemment l'équipe pour faire le point et savoir pourquoi elle n'a pas le temps de respecter les délais.
- Demander des explications sur ce qui distingue le projet de tous ceux qui portent le même sigle.
- Demander à l'équipe ce qu'elle pourrait faire si elle ne disposait que de la moitié de ses moyens.
- Nommer un comité de contrôle dont les membres sont constamment partis en voyage.

Autrement dit, les patrons s'imaginent que leur rôle consiste à supprimer les obstacles pour l'équipe chargée du projet. Ils pourraient y parvenir, avec l'aide d'un médecin pratiquant l'euthanasie, mais généralement le corps médical s'y refuse. Par conséquent, le plus gros obstacle à la réussite d'un projet se trouve être, pure coïncidence, la direction elle-même.

LA PLANIFICATION

La phase de planification du projet nécessite de demander aux gens combien de temps il leur faut pour réaliser le travail.

En général, cela se passe de la façon suivante :

Chef de projet : « Combien de temps vous faut-il pour sélectionner un vendeur ? »
Membre de l'équipe : « Entre un jour et un an. »
Chef de projet : « Soyez plus précis. »
Membre de l'équipe : « Très bien, disons trois ans. »
Chef de projet : « Hum, trois ans ce n'est pas un an. »
Membre de l'équipe : « Bon, puisque c'est vous l'expert, vous n'avez qu'à choisir vous-même. Moi j'abandonne. »
Chef de projet : « Et pourquoi pas deux ans ? »
Membre de l'équipe : « Pas de problème, et puis sélectionnez le vendeur tant que vous y êtes, puisque visiblement vous vous moquez totalement de la qualité. »

Finalement, ce processus constructif de concessions mutuelles aboutira à un calendrier tout à fait adéquat pour votre projet. Les différentes étapes chronologiques seront portées sur un diagramme qu'on accrochera dans la salle de conférence où tout le monde pourra l'oublier. Jusqu'à ce qu'un facteur externe détermine la véritable date butoir du projet.

Pour les gros projets, les chefs d'équipe se servent de logiciels de gestion de projets très sophistiqués, afin de ne pas perdre de vue qui fait quoi. Le logiciel recueille les mensonges et les hypothèses de l'équipe puis les organise et sort des diagrammes instantanément périmés et trop assommants pour qu'on les examine de près. C'est ce qu'on appelle la « planification ».

LA FINALISATION DU PROJET

…

LES PROJETS EN IMAGES

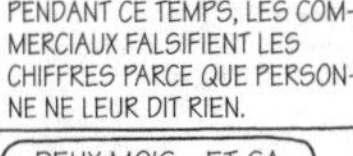

LE PROBLÈME...
ON MANQUE TELLEMENT DE PERSONNEL QUE LE PROJET A PRIS SIX SEMAINES DE RETARD.
S. Adams E-mail: SCOTTADAMS@AOL.COM
L'ANALYSE...
JE N'AI PERSONNE SOUS LA MAIN... JE NE PEUX PAS CHANGER LA DATE BUTOIR... POURTANT JE NE PEUX PAS FAIRE COMME SI DE RIEN N'ÉTAIT.
2/17
© 1995 United Feature Syndicate, Inc. (NYC)
LE RÉSULTAT...
IL VEUT FAIRE LE POINT TOUS LES JOURS JUSQU'À CE QUE LA SITUATION S'AMÉLIORE.

J'ANNULE VOTRE PROJET POUR POUVOIR FINANCER UN PROJET QUI PORTE UN PLUS JOLI SIGLE.
5-25
S. Adams E-Mail: SCOTTADAMS@AOL.COM
HA ! LA BONNE BLAGUE ! JE LE VOYAIS VENIR DEPUIS LE DÉBUT, ALORS ÇA FAIT DES SEMAINES QUE JE NE VOUS REMETS QUE DES DOSSIERS VIDES !
© 1994 United Feature Syndicate, Inc.

TU SAIS DOGBERT, C'EST PAS TOUJOURS AUSSI VALORISANT QUE TU LE CROIS DE BIEN FAIRE SON BOULOT.

J'AI DÉCIDÉ DE DIVISER VOTRE BUDGET PAR DEUX MAIS VOS OBJECTIFS DEMEURENT INCHANGÉS.
S. Adams E-Mail: SCOTTADAMS@AOL.COM
VOILÀ UN EXCELLENT PLAN. ON EMPOCHE TOUS LES BÉNÉFICES POUR LA MOITIÉ DES COÛTS !

10-5
© 1994 United Feature Syndicate, Inc.
POURQUOI EST-CE QUE CE SONT LES GENS LES PLUS IDIOTS QUI DÉFINISSENT LA RÉALITÉ ?
JE POURRAIS PEUT-ÊTRE REVOIR LE DOSSIER POUR AUGMENTER LES RÉSULTATS.

JE VOUS CONFIE LE « PROJET QUI NE VOULAIT PAS MOURIR ».
S. Adams E-Mail: SCOTTADAMS@AOL.COM

TOUT LE MONDE L'AIME TROP POUR L'ANNULER, MAIS PAS SUFFISAMMENT POUR LE FINANCER CORRECTEMENT.
AAARG!!
11-14
© 1994 United Feature Syndicate, Inc

MAINTENANT À VOUS DE MAINTENIR LE STATU QUO !
NE CONFONDEZ PAS HONNÊTETÉ ET DISCOURS DE MOTIVATION.

JE VEUX QUE VOUS ÉTUDIIEZ LES DIFFÉRENTES SOLUTIONS POSSIBLES POUR LE PROJET « ZÈBRE » EN VUE D'UNE RECOMMANDATION.
TRADUCTION : « LISEZ DANS MES PENSÉES ET CONSEILLEZ LA SOLUTION QUE J'AI DÉJÀ CHOISIE. »
JE M'Y METS SUR-LE-CHAMP.
TRADUCTION : « JE SUIS FOUTU D'AVANCE. JE VAIS PLUTÔT REGARDER SI JE TROUVE DES PHOTOS PORNOS SUR INTERNET. »
S. ADAMS E-mail: SCOTTADAMS@AOL.COM
7/15 © 1995 United Feature Syndicate, Inc. (NYC)

JE VOUS CONFIE LE PROJET « GAG ».
DILBERT
« GAG », C'EST POUR « GROSSES AUGMENTATIONS GRATUITES ».
VOTRE BOULOT CONSISTE À RECOMMANDER LES MOYENS D'AUGMENTER LE CHIFFRE D'AFFAIRES SANS DÉPENSER D'ARGENT NI PROCÉDER À AUCUNE MODIFICATION.
IL FAUT BIEN DÉPENSER DE L'ARGENT POUR EN GAGNER.
SI ON AVAIT DE L'ARGENT À DÉPENSER ON N'AURAIT PAS BESOIN D'EN GAGNER.
HA
MAIS LA QUESTION C'EST D'EN GAGNER PLUS QU'ON NE DÉPENSE.
JE NE VOUS SUIS PAS DU TOUT.
DE TOUTE FAÇON, CE QUE JE NE COMPRENDS PAS N'A AUCUNE IMPORTANCE.
J'ATTENDS VOTRE RAPPORT POUR DEMAIN.
ALORS, VOUS RECOMMANDEZ... LE REMPLACEMENT DE TOUS LES CADRES PAR DES LAMPES À PIED.
TENEZ, UN PEU DE LIQUIDE POUR LES LAMPES.
E-Mail: SCOTTADAMS@AOL.COM

ISO 9000

Si votre entreprise n'a rien à voir avec la fameuse « ISO 9000 », il est probable que vous n'ayez aucune idée de ce dont il s'agit. Si votre entreprise a à voir avec ISO 9000, il est certain que vous n'avez aucune idée de ce dont il s'agit. Ne me demandez pas ce que c'est, je n'en ai pas la moindre idée non plus. Néanmoins, j'ai rassemblé suffisamment d'éléments pour formuler une théorie qui fonctionne.

Un groupe d'Européens qui s'ennuyaient après avoir bu quelques Heineken a décidé de jouer un bon tour aux grandes entreprises du monde entier. La blague en question fut baptisée ISO 9000, en raison du nombre de bières consommées ce soir-là. (« ISO » ne peut être qu'une expression énigmatique ou bien l'un des quatre cents mots d'argot européens pour dire « C'est ma bière ? ».)

Les Européens éméchés se sont imaginés, avec raison, que n'importe quelle technique de management, aussi ridicule fusse-t-elle, pouvait faire un tabac dans le monde entier. A une condition : en parler sans s'écrouler de rire. Selon leur « idée », si les sociétés gardaient des documents sur tous les processus et les descriptions de poste existant au sein de leur organisation, cela permettrait de résoudre un grand problème d'entreprise, à savoir occuper tout le monde.

Comme prévu, les clients ont commencé à entendre parler des avantages d'ISO 9000 et ont commencé à l'exiger auprès de leurs fournisseurs. Si vous n'avez pas la conformité ISO 9000, pensent-ils, qui sait à quoi vous vous occupez ?

Sur toute la planète, les cadres des grandes entreprises se sont appliqués à conserver des traces de tout ce qu'ils faisaient et à étiqueter le moindre outil qu'ils utilisaient. On a assisté à une véritable frénésie d'étiquetage et de compilation de documents. En rentrant chez eux le soir, les salariés les moins vifs devaient prendre un bain chaud pour retirer les étiquettes collées sur leur corps par des collègues trop zélés. C'était terrible.

Mais les efforts ont fini par être payants, pour les experts-conseils. Les consultants qui avaient du mal à vendre leurs programmes de « qualité » n'ont pas tardé à s'improviser experts en ISO 9000.

Aux yeux du béotien, il semble peut-être qu'il n'y ait pas de rapport entre les programmes de qualité et ISO 9000. J'étais moi-même un peu déconcerté jusqu'à ce qu'un consultant m'explique les choses : « ISO 9000 est très proche de la qualité car tout ce que vous faites est de la qualité et ISO 9000 conserve la trace de tout ce que vous faites, alors donnez-nous de l'argent ».

Je pense que là, ça ne se discute pas.

ISO 9000 EN IMAGES

VOICI LES RÉSULTATS DE MON AUDIT ISO 9000 DANS VOTRE ENTREPRISE.
VOS SALARIÉS MANQUENT CRUELLEMENT DE FORMATION AINSI QUE – JE N'AI PAS PU M'EMPÊCHER DE LE NOTER – DE CHARME.
QUOI QU'IL EN SOIT, CE SONT ÉGALEMENT DE FIEFFÉS MENTEURS, ALORS VOUS AVEZ AISÉMENT PASSÉ L'EXAMEN.
ON A RÉUSSI LÀ OÙ ÇA COMPTE !!!
S. Adams E-mail: SCOTTADAMS@AOL.COM
9/27 © 1995 United Feature Syndicate, Inc.(NYC)

21

LA COMPRESSION DE PERSONNEL

Lorsque j'ai fait mon entrée dans la population active, en 1979, le mot « compression » ne faisait pas encore partie du vocabulaire de l'entreprise. Le nouvel arrivant pouvait faire son nid au sein de la hiérarchie et y rester calfeutré des dizaines d'années. Je me sentais comme une joyeuse petite termite dans une grande demeure victorienne à laquelle on ajoutait une nouvelle pièce chaque jour. Je rognais les poutres, salaire après salaire, sans que personne ne remarque jamais les traces de mes petites dents.

Je me souviens de mon premier vrai poste dans une grande banque de San Francisco. C'était en 1980. Mon collègue Dean et moi avions été sélectionnés, lors de la formation des cadres, pour faire partie d'un « projet particulier ».

Le terme « projet particulier » signifie « tous les vrais emplois sont occupés par des gens qui, à première vue, n'ont pas l'air aussi totalement incompétents que vous ». Ce qui était certainement vrai dans mon cas. Dean parvenait en fait assez bien à paraître compétent mais selon sa théorie, il était puni à cause de quelque chose qu'il aurait dit à quelqu'un.

Notre job consistait à mettre en place un système informatique pour les filiales de la banque. Nous étions faits pour ce travail : Dean avait vu un ordinateur une fois et moi, je l'avais entendu en parler.

Notre bureau était installé dans un placard qui ne servait pas, au sous-sol, à côté du parking. La pièce était juste assez grande pour accueillir nos deux bureaux déglingués ainsi que quelques chaises branlantes. Les murs blancs étaient nus, le sol aussi, il n'y avait pas de fenêtre et les sons résonnaient terriblement. C'était un peu comme une cellule de prison, sauf qu'on n'avait pas accès à la bibliothèque ni à la salle de musculation.

Parfois, j'essayais d'appeler d'autres membres de la société pour obtenir d'importants renseignements pour notre projet. La réponse était toujours la même : « Qui êtes-vous et pourquoi voulez-vous savoir ? »

J'essayais de prendre l'air important en invoquant le prénom du pdg et en expliquant que le sort du monde libre dépendait de ce transfert vital d'informations. Dans le style : « Bill en a besoin... pour maintenir l'indépendance de notre grande nation. »

Mais, sans que je sache très bien pourquoi, on réalisait toujours qu'on avait affaire au jeune homme de vingt-deux ans aux cheveux mal coupés et au costume mal taillé qui occupait le placard à côté du garage. Au meilleur de ma forme charismatique, on avait la courtoisie de m'insulter avant de me raccrocher au nez.

Les choses ont fini par dégénérer. Avec Dean, on s'est mis à passer le temps à médire sur nos collègues, faire nos comptes et parier s'il faisait ou non soleil dehors. Quand on s'ennuyait, on inventait les renseignements dont on avait besoin, en débattant durant des heures de ce qu'ils « devaient » être et jusqu'à en être nous-mêmes vraiment sûrs. Ensuite, on emballait le tout sous la rubrique « Besoins de l'utilisateur » et puis on le passait à une femme prénommée Barbara à qui il fallait quinze jours pour programmer le système. L'ensemble a bien duré une année, parce qu'on ne voulait surtout pas précipiter les choses.

Une fois terminé, le système s'est avéré parfaitement inadéquat. Mais le chef nous a assuré que cela n'avait pas d'importance parce qu'il était le seul à utiliser les chiffres, qui ne faisaient de toute façon que confirmer son opinion personnelle.

C'est l'année durant laquelle je me suis rendu compte que le monde tournerait beaucoup mieux si les entreprises employaient moins de gens comme moi. Au cours des années qui ont suivi, les cadres du monde entier en sont arrivés à la même conclusion. C'était l'aube de la compression de personnel.

La première compression de personnel a entraîné l'élimination des gens comme Dean et moi *, autrement dit des emplois qui semblaient bons dans l'idée mais qui ne représentaient aucune valeur légitime pour personne. L'entreprise a accru son chiffre d'affaires sans que personne n'ait eu pour autant à travailler davantage.

La seconde vague de compression a été plus dure. Les salariés restants ont dû travailler plus pour reprendre les tâches incombant jusque-là à ceux qui partaient. Mais dans de nombreux cas, comme il s'agissait d'« exemptés », ils ont dû faire des heures supplémentaires sans trop râler pour qu'on les leur paie. Résultat : les entreprises ont accru leur chiffre d'affaires. Et là, elles ont compris qu'elles tenaient une stratégie gagnante.

Pour la troisième vague de compression, les emplois essentiels ont été supprimés en grand nombre, mais principalement dans les domaines où l'impact passerait inaperçu pendant au moins une année. Ces secteurs couvraient la recherche, le développement de nouveaux systèmes, l'expansion et la formation. Résultat : les entreprises ont accru leur chiffre d'affaires. La compression semblait un puits sans fond.

Les sociétés les plus audacieuses qui envisagent une quatrième vague de compression s'en remettent aux promesses du « reengineering » pour libérer un peu plus de chair à canon. (Pour un savant débat sur le reengineering, se reporter au chapitre 23).

Pour qu'une compression de personnel fonctionne, il faut que les cadres en reconnaissent l'impact psychologique, voilà le secret. Les expériences menées en laboratoire sur les animaux montrent que si l'on fait subir une série de chocs électriques continus à un chien en cap-

* Dean et moi avons survécu aux compressions en anticipant les endroits où elles interviendraient et en nous faufilant dans des lieux mieux protégés.

tivité, la facture d'électricité grossit tellement qu'on finit par en vouloir au chien. Les entreprises appliquent la même théorie à la compression de personnel.

Les premières vagues touchent en général les gens que personne n'aime de toute façon. Là, c'est facile. Au fil du temps, les cadres commencent toutefois à détester sincèrement les salariés restants. Leur cœur se durcit alors suffisamment pour licencier les membres de leur propre famille en fredonnant des airs à la mode. C'est là que les véritables économies commencent.

De la messagerie électronique...

De : (respect de l'anonymat)
Pour : scottadams@aol.com

Scott,
Voici la dernière : on savait que la plupart des entreprises faisaient la chasse à la mauvaise graisse. Eh bien, d'après une de mes amies, la sienne aurait transcendé cette phase, elle en serait maintenant à fantasmer sur les squelettes.

MA PROPRE EXPÉRIENCE DE LA COMPRESSION

Durant la phase bancaire de ma carrière, j'ai eu l'occasion de travailler à divers postes pour lesquels je n'avais absolument aucune qualification. Heureusement, aucun de ces emplois n'avait une quelconque valeur pour l'entreprise, mon incompétence n'a donc pas porté préjudice à l'économie locale.

Durant quelque temps, j'ai travaillé à l'agrément des prêts professionnels (crédits accordés aux médecins) alors que je n'avais jamais fait d'emprunt ni suivi de cours sur les opérations de crédit. Les conseillers avaient pour instruction de soumettre leurs propositions de prêt à notre service pour approbation. Chaque dossier était examiné par cinq membres du groupe (au cas où quelqu'un aurait oublié quelque chose), avant d'être présenté au chef pour la « véritable » approbation.

Certes je manquais de formation, mais j'ai beaucoup appris sur le tas :

- Les médecins sont de mauvais clients parce qu'ils peuvent se prescrire eux-mêmes des médicaments.
- Selon mon ancien patron, tous les clients chinois trompent le fisc, ce qui leur permet de disposer d'une excellente marge brute d'autofinancement pour rembourser leurs emprunts. (Plus tard, j'ai découvert qu'il s'agissait d'une généralisation totalement injuste.)
- Si votre collègue nettoie tous les jours sa tasse à café dans les toilettes pour hommes, vous pouvez dire à tout le monde qu'il se rend aux toilettes pour boire son café assis dans une cabine.

Lorsque la compression a commencé, ça n'a pas été trop douloureux. Au lieu de cinq personnes sans valeur ajoutée, on en a eu quatre, puis trois et finalement il n'est resté que moi. J'ai fait savoir à tout le monde que je « faisais le travail de cinq personnes ». Cela ne m'a attiré aucune compassion parce que tout le monde, à les entendre, « faisait le travail de cinq personnes ».

Finalement, j'ai quitté la banque. Durant les treize années passées, personne n'a fait le travail de cinq personnes mais nul ne s'en est plaint. Ce qui veut bien dire que la compression de personnel a de l'avenir.

LA FUITE DES CERVEAUX

Les pessimistes mettent l'accent sur le fait que les premiers à partir lorsque la barque coule sont les plus intelligents, qui parviennent à obtenir d'exorbitantes indemnités et à retrouver immédiatement un meilleur emploi ailleurs. Les médiocres qui restent produisent un travail de piètre qualité, qu'ils compensent toutefois par des heures supplémentaires au contenu tout aussi médiocre. Les pessimistes seraient prêts à nous faire croire que ce n'est pas une bonne chose.

J'ai fait partie des rescapés des toutes premières vagues de compression, alors je sais bien que les pessimistes ont tort. Contrairement à leur sinistre petite « logique », je n'ai pas produit des tonnes de travail de piètre qualité après la compression. En fait, j'ai changé de poste et je me suis retrouvé dans un emploi stratégique où je ne produisais aucun travail du tout.

Une fois que tous les cerveaux ont eu quitté le navire, l'entreprise s'est rendue compte qu'il fallait faire en sorte que la compression de personnel passe pour une évolution positive, afin de préserver le moral des troupes. * Pour ce faire, elle a recouru à la créativité et inventé des expressions plus heureuses, signifiant malgré tout pratiquement la même chose :

« Vous êtes renvoyé. » (1980)
« Vous êtes licencié. » (1985)
« Vous êtes compressé. » (1990)
« Vous êtes restructuré. » (1992)

M'est avis que cette tendance va se perpétuer. Vous verrez que d'ici cinq ans, on dira :

« Vous êtes honoré ! »
« Vous êtes magnifié ! »
« Vous êtes glorifié ! »

De la messagerie électronique...

De : (respect de l'anonymat)
Pour : scottadams@aol.com

Scott,
Ici, chez [entreprise], on a imaginé un nouveau moyen de vous faire savoir que vous allez être licencié : ça s'appelle « être placé dans le pool de mobilité ».

* Pour une raison ou une autre, le moral était assez bas chez les salariés qui se rendaient compte que leur charge de travail avait triplé, que leur salaire n'allait pas bouger et qu'ils étaient encore là, alors que les « meilleurs » étaient partis.

LA COMPRESSION DE PERSONNEL EN IMAGES

J'AI EMBAUCHÉ UN NOUVEAU DIRECTEUR DES RESSOURCES HUMAINES POUR GÉRER LA COMPRESSION DE PERSONNEL.
S. Adams
E-mail: SCOTTADAMS@AOL.COM

J'AVAIS BESOIN DE QUELQU'UN À L'AIR COMPATISSANT MAIS QUI SE RÉJOUISSE SECRÈTEMENT DU MALHEUR DES AUTRES.
3-20
© 1995 United Feature Syndicate, Inc. (NYC)

IL FAUT QU'ON PARLE, PAUL. MAIS D'ABORD JE VAIS VOUS TAPER SUR LA TÊTE ET VOUS GRIFFER.
HÉ HÉ !!
IL EST MIGNON !

CATBERT DRH
VOICI LE NOUVEL ORGANIGRAMME. VOUS ÊTES PEUT-ÊTRE DESSUS, MAIS PEUT-ÊTRE PAS.
S. Adams
E-mail: SCOTTADAMS@AOL.COM

OH OH !
BEL EFFORT.
RATÉ,
DOMMAGE.
3-21 © 1995 United Feature Syndicate, Inc. (NYC)

ÇA M'AMUSE DE JOUER AVEC EUX AVANT DE LES LICENCIER.

EN TANT QUE CONSULTANT, JE VOUS RECOMMANDE LE « CADROMATIQUE » POUR SUPPRIMER LES ÉCHELONS PARMI LES CADRES.
S. Adams

DÉGUISÉ EN CABINE DE TOILETTES, LE CADROMATIQUE LICENCIE LES GENS EN LES CATAPULTANT HORS DES LOCAUX À L'AIDE D'UNE COMBINAISON ROSE.
5-29
© 1992 United Feature Syndicate, Inc.

MAIS ON NE PEUT PAS VOIR L'EXPRESSION SUR LEUR VISAGE.
EUH, ON POURRAIT LES FAIRE PASSER DEVANT LES CAMÉRAS DE SURVEILLANCE...

VOUS ÊTES RENVOYÉ, RICHARD. MAIS COMME NOUS NOUS FAISONS DU SOUCI POUR VOUS, NOUS VOUS CONFIONS À UN CABINET D'OUTPLACEMENT.
S. Adams
E-Mail: SCOTTADAMS@AOL.COM

VOUS AUREZ UN BUREAU CLOISONNÉ À VOUS. ET VOUS POURREZ FAIRE TOUTES LES PHOTOCOPIES QUE VOUS VOUDREZ !
© 1994 United Feature Syndicate, Inc.

QU'EST-CE QUE JE POURRAIS PHOTOCOPIER ?
DES BONS DE RAVITAILLEMENT, DES BILLETS DE BANQUE, CE GENRE DE CHOSES QUOI.

LES LICENCIEMENTS SERONT TRAITÉS DE LA MANIÈRE LA PLUS HUMAINE POSSIBLE.
S. Adams
E-Mail: SCOTTADAMS@AOL.COM

PAN !
CHHHIK !

LE TRANQUILI-SANT FAIT EFFET PENDANT COMBIEN DE TEMPS ?
IL SE RÉVEILLERA À L'ANPE.
© 1994 United Feature Syndicate, Inc.
2-21

JE VOUS ASSURE QUE LA VALEUR DU SALARIÉ MOYEN NE CESSERA PAS D'AUGMENTER.
S. Adams
E-Mail: SCOTTADAMS@AOL.COM

PARCE QU'ON SERA MOINS NOMBREUX À FAIRE PLUS DE TRAVAIL ?
3-9

C'EST ÇA, NON ?
À L'EXCEPTION DU « ON ».
© 1994 United Feature Syndicate, Inc.

NOS DEUX OBJECTIFS CETTE ANNÉE SONT LA COMPRES-SION DE PERSONNEL ET L'AMÉLIORATION DU SERVICE CLIENTÈLE.
S. Adams
E-Mail: SCOTTADAMS@AOL.COM

QUESTION : COMMENT AMÉLIORER LE SERVICE SI ON SE DÉBARRASSE DES GENS QUI L'ASSURENT ?
8-17

À VOTRE AVIS, QUI SABOTE LE SERVICE, HEIN ?
© 1994 United Feature Syndicate, Inc.

SUZY A ÉTÉ EMBAUCHÉE POUR DIRIGER NOTRE NOUVEAU PROGRAMME DE « DIGNITÉ RENFORCÉE ».
S. Adams
E-Mail: SCOTTADAMS@AOL.COM

SA MISSION CONSISTE À AIDER LES SALARIÉS À SE SENTIR BIEN TOUT EN TRAVAILLANT PLUS POUR UN MOINDRE SALAIRE.
8-26

OÙ A-T-ON TROUVÉ LES FONDS POUR UNE NOUVELLE EMBAUCHE ?
VOUS VOUS SOUVENEZ DE VOS ANCIENS COLLÈGUES ?
© 1994 United Feature Syndicate, Inc.

CONSEIL D'ADMINISTRATION
ON A LA CONCURRENCE AUX FESSES.
S. Adams E-Mail: SCOTTADAMS@AOL.COM

JE VAIS FAIRE VENIR DOGBERT POUR VIRER LES SALARIÉS JUSQU'À CE QUE NOUS AYONS RATTRAPÉ NOS CONCURRENTS.
10-18

© 1994 United Feature Syndicate, Inc.
ET QUI FERA LE TRAVAIL EN L'AB-SENCE DES SALARIÉS ?
BON, JE VAIS METTRE UN GROUPE DE TRAVAIL SUR LA QUESTION.

ON M'A DEMANDÉ DE RÉDUIRE LES EFFECTIFS.
S. Adams E-Mail: SCOTTADAMS@AOL.COM

PAR SOUCI D'ÉQUITÉ, J'AI CRÉÉ UN ALGORITHME SCIENTIFIQUE POUR DÉCIDER DE CEUX QUI PARTIRONT.

© 1994 United Feature Syndicate, Inc.
10-19
JE CROYAIS QUE VOUS LICENCIIEZ LES PLUS GROS SALAIRES.
D'ACCORD, « ALGORITHME » EST PEUT-ÊTRE UN PEU EXAGÉRÉ.

L'UN DE CES GÂTEAUX CONTIENT UNE NOTE DE LICENCIEMENT POUR CELUI QUI LE PREND.
S. Adams E-Mail: SCOTTADAMS@AOL.COM

ÇA SEMBLAIT LE PROCÉDÉ LE PLUS HUMAIN POUR RÉDUIRE LES EFFECTIFS.

© 1994 United Feature Syndicate, Inc.
11-12
IL ÉTAIT COMMENT TON GÂTEAU ?
LES DEUX PRE-MIERS ÉTAIENT DÉLICIEUX. MAIS LE TROISIÈME AVAIT UN LÉGER GOÛT DE PAPIER.

ENTREPRISES AYANT ENCORE TROP DE SALARIÉS

De : (respect de l'anonymat)
Pour : scottadams@aol.com

Scott,
J'ai passé ma matinée de vendredi à la grande réunion trimestrielle chez [entreprise]. J'étais prêt à sacrifier un matin de ma vie pour un tee-shirt, en l'occurrence il était superbe.

Quoi qu'il en soit, il y avait une remise de prix pour les procédures.

Le prix de la meilleure nouvelle procédure a été décerné au groupe chargé de la procédure de la remise des prix.

De : (respect de l'anonymat)
Pour : scottadams@aol.com

Scott,
Dans mon entreprise, nous avons un comité de coordination pour les cinq groupes de travail chargés d'étudier les questions touchant au climat social de la société.

Le comité a pour mission de coordonner le travail des cinq groupes de travail. Ces derniers sont chargés de réunir les informations et de proposer des recommandations concernant la procédure de création d'un programme destiné à aborder les questions touchant au climat social de la société.

Comme vous le savez, je n'invente rien !!

De : (respect de l'anonymat)
Pour : scottadams@aol.com

Scott,
La semaine dernière, un de mes patrons a convoqué l'ensemble du personnel féminin d'un de nos bureaux pour lancer un avertissement contre la personne qui volait le papier hygiénique dans

les toilettes pour dames.

N'est-ce pas ridicule ? Enfin, imaginez les coûts que représente ce cadre qui essaie de contrôler les réserves de papier hygiénique et les coûts que représente la présence de toutes les personnes assistant à la réunion alors qu'elles pourraient travailler à des choses plus productives. Je suis sûr que tous ces coûts dépassent largement ceux des quelques rouleaux de papier « volés » !

Mais, tout cela n'a pas été totalement inutile puisque le scénario du papier hygiénique a su faire marcher quelques cellules grises, ce que notre environnement parfaitement encadré et lourdement hiérarchisé ne parvient jamais à faire. Inspirées par la bonne humeur, certaines personnes se sont mises à rédiger des messages anonymes sur la question et quelqu'un est même allé jusqu'à essayer de faire accuser une collègue de ce fameux vol en déposant un rouleau de papier hygiénique dans son tiroir et en le dévidant jusqu'au seuil de son bureau. Naturellement, le problème a suscité de nombreux jeux de mots quant à la solution possible.

De : (respect de l'anonymat)
Pour : scottadams@aol.com

Scott,
Je promets que je n'ai rien inventé.
Dans ma société, les cadres moyens (deux échelons au-dessus du mien) ont tous été réunis dans un énorme comité chargé d'aborder les problèmes exprimés par les salariés lors de l'une de nos récentes enquêtes.

Les cadres moyens sont plus de cent. Ils ont tous fait des suggestions amusantes. Voici la meilleure : ils ont formé un sous-comité pour localiser et couper les « branches mortes ». Oubliant totalement que la définition de la branche morte n'est autre que « le voisin », ils ont fait deux suggestions :

(1) Le téléphone rouge des branches mortes. Tout salarié peut en accuser un autre d'être une « branche morte », suite à quoi une enquête sera immédiatement lancée. Paranoïa.

(2) Des groupes de cadres moyens peuvent « errer dans les couloirs » à la recherche de branches mortes. J'appelle ça la « bande des branches mortes ». Je n'ai pas la moindre idée de la

manière dont ils conçoivent la chose.

J'ai le bonheur de vous annoncer qu'ils ont échoué au test du rire devant le conseil de direction.

De : (respect de l'anonymat)
Pour : scottadams@aol.com

Scott,
Voici la copie d'une VRAIE (je ne blague pas !) note diffusée il y a quelques jours.

— Note —

Au cours des mois passés, le coût de notre petit déjeuner mensuel s'est considérablement accru. Ce coût est en grande partie dû au fait que le petit déjeuner se fait plus copieux à chaque réunion.

Ce n'est pas du tout parce que nous sommes plus nombreux chaque mois, mais à cause d'un manque d'équité. Les premiers arrivés sont en effet les mieux servis de sorte qu'il ne reste plus grand-chose à manger pour ceux qui arrivent ensuite. La cafétéria est donc obligée de prévoir davantage. Outre ce problème, il y a des personnes non concernées par la réunion qui viennent simplement pour manger un ou deux croissants. Tout cela doit changer.

A partir de la réunion de février, nous remettrons donc à chacun un « ticket de croissant ». Ce ticket donnera droit au porteur à une tasse de café ou un verre de jus de fruit et à un fruit ou un croissant. Nous pensons que cela contribuera à freiner les excès de nos salariés et, naturellement, à maintenir nos coûts mensuels au plus bas.

Nos réunions auront lieu les 13, 14 et 15 février – avant ces dates, veuillez vous présenter à l'accueil où l'on vous remettra les carnets de tickets à distribuer dans vos services respectifs. Ces tickets devront être distribués aux salariés juste avant la réunion. Il est interdit de les photocopier. Ils ne seront valables que pour les réunions de février. Il y aura un ticket par personne et par réunion seulement.

D'avance, je vous remercie pour votre collaboration. Pour toute demande de renseignements complémentaires, n'hésitez pas à prendre contact avec moi.

— Fin de la note —

De : (respect de l'anonymat)
Pour : scottadams@aol.com

Scott,
Vous avez malheureusement raté la délicieuse expérience des stratégies critiques intégrées dans les rapports du « Groupe Phase » adressés aux dirigeants.

Les simples employés transcrivaient les merveilleuses idées que les membres du groupe gribouillaient sur du mauvais papier scotché au mur. L'écriture de certains n'était pas très lisible. L'une des stratégies critiques disait « Ne vendez pas au-delà de la date limite ». La transcription a donné « Ne vendez pas aux deux-là de l'antimite ». On l'a laissée dans le rapport. Je crois que l'un des cadres de niveau intermédiaire l'a vu, mais il l'a laissée tel quel.

De : (respect de l'anonymat)
Pour : scottadams@aol.com

Scott,
Voici de quoi vous mettre sous la dent.
L'un des programmeurs du département SIG * a écrit un programme très utile pour le département A. Le département A a ensuite eu une réunion avec le département SIG * pour avoir tous les renseignements concernant le programme. Le département SIG * a alors dit que le projet était impossible à réaliser.

Le département A a répliqué que le programme existait déjà !

Le lendemain, le département A a découvert que le programme en question avait été effacé sur tous ses ordinateurs.

Le projet n'a jamais vu le jour.

* Systèmes de gestion informatisée

COMMENT ABORDER LA COMPRESSION DE PERSONNEL AVEC DOIGTÉ

De : (respect de l'anonymat)
Pour : scottadams@aol.com

Scott,
Je viens juste de recevoir un mailing disant que l'entreprise organise une « journée spéciale » où les gens qui nous quittent dans le cadre des départs volontaires sont censés s'asseoir à la cafétéria avec des badges à leur nom sur la poitrine, tandis que les autres salariés passent entre les tables pour les regarder.

On est censé aussi organiser une vente de gâteaux. Je ne suis pas sûr de comprendre à quoi tout cela doit aboutir mais peut-être que si la vente de gâteaux marche bien on pourra en réembaucher quelques-uns. Je ne sais pas pourquoi, mais quelque chose me dit que tout ça n'est pas très catholique.

De : (respect de l'anonymat)
Pour : scottadams@aol.com

Scott,
La grosse boîte pour laquelle je travaille a récemment publié les grandes lignes de son nouveau « plan de transition de carrière », autrement dit son plan social.

Ce document a été distribué à tous les employés, ce qui leur a remonté le moral.

Parmi les « points forts et avantages » de ce plan, on peut lire qu'il est « compétitif ». Ça m'a fait réfléchir. Est-ce que l'un des avantages compétitifs de cette entreprise réside dans son plan de transition de carrière ? Si c'est le cas, pourquoi ne pas le présenter comme un des avantages à venir travailler ici quand on fait passer un entretien d'embauche ?

De : (respect de l'anonymat)
Pour : scottadams@aol.com

Scott,
J'ai récemment appris qu'au cours d'une des réunions de notre conseil de direction, le directeur général adjoint avait fait une présentation sur les prévisions de l'année à venir. A un moment de son discours, il a mentionné l'intention de l'entreprise de supprimer le poste de directeur du marketing.

Vous l'avez deviné, la personne suivante à faire une présentation n'était autre que le directeur du marketing. C'est comme ça qu'il a appris la nouvelle. Deux semaines plus tard, il était parti.

J'espère que cela n'a pas porté préjudice à sa présentation.

De : (respect de l'anonymat)
Pour : scottadams@aol.com

Scott,
J'ai subi une insupportable humiliation au bureau aujourd'hui. Tout un tas d'entre nous devaient appeler un numéro de téléphone pour voir si on figurait encore sur la liste du personnel. La direction nous a adressé un numéro de téléphone par messagerie électronique, on l'a appelé et on s'est entendu répondre soit « bingo » soit « raté ».

C'est dégueulasse, hein ? Il y en a beaucoup qui ont dit que ça leur faisait penser à Dilbert... Alors, voici ma variante : le chef diffuse le numéro qu'il faut appeler pour savoir si on a du boulot mais les postes gagnants sont réservés, disons, au septième appel (comme les jeux à la radio)...

De : (respect de l'anonymat)
Pour : scottadams@aol.com

Scott,

Dans mon service, le moral est si bas qu'on nous a envoyé le « psy d'entreprise » de [ville]. Il semblait déprimé, probablement parce que son propre poste fait l'objet d'un reengineering et qu'il n'espère sans doute pas pouvoir le conserver une année de plus.

Dans sa présentation aux groupes de travail, il a expliqué que la situation était vraiment très difficile... etc., mais son message profond disait : « Bon, si vous pensez que la vie est dure pour vous, écoutez plutôt mon histoire »

Après avoir mené ma petite enquête, j'ai découvert que l'entreprise ne prévoit aucune autre forme de conseil, il n'y a que le psy.

22

COMMENT SAVOIR SI SON ENTREPRISE COURT A SA PERTE

Vous travaillez peut-être pour une société qui court à sa perte. Vérifiez la présence de l'un des malheureux éléments suivants :

FUNESTES PRÉSAGES

- Bureaux paysagés
- Travail en équipe
- Présentations à la direction
- Réorganisations
- Procédures.

LES BUREAUX PAYSAGÉS

A supposer que votre ordinateur ne vous ait pas rendu totalement stérile, avec le recul, vos descendants seront un jour étonnés d'apprendre que les gens de notre génération travaillaient dans des bureaux dits paysagés. Nos vies leur apparaîtront à peu près comme à nous aujourd'hui celles des ouvriers de l'époque de la révolution industrielle qui (paraît-il) travaillaient vingt-trois heures par jour à la fabrication de produits en acier avec leur front pour unique outil.

Imaginez la tête de nos ancêtres s'ils savaient qu'on nous oblige à passer nos journées assis dans d'énormes boîtes, à subir un flot continu de bruits, d'odeurs et d'interruptions insupportables. Ils penseraient peut-être que nous sommes les cobayes d'une cruelle expérience.

Chercheur : « Dès que vous commencerez à vous concentrer, cet appareil sur le bureau se mettra à sonner bruyamment pour que vous vous arrêtiez. »
Salarié : « Hum. Très bien. »
Chercheur : « Si votre stress se stabilise à un certain niveau, nous demanderons à votre chef de vous confier un dossier resté à traîner sur son bureau suffisamment longtemps pour avoir accumulé un retard digne de ce nom. »
Salarié : « Quel est exactement le but de cette étude ? »
Chercheur : « En réalité, elle n'en a aucun. Nous aimons simplement faire subir ce genre de choses durant notre pause déjeuner. »

L'emploi répandu des bureaux paysagés résulte en droite ligne des premiers tests en laboratoire sur les rats.

Au début des années soixante, les chercheurs ont mené des expériences sur le comportement de rats enfermés dans un environnement cloisonné, auxquels on fixait d'absurdes objectifs. Au début, les animaux couraient dans tous les sens à la recherche de fromage. Néanmoins, ils ont fini par se rendre compte que leurs efforts n'étaient pas récompensés. Dès lors, ils ont organisé des réunions pour se plaindre de leur manque de formation. Les chercheurs qualifiaient ces rats de « mauvais joueurs » et n'en tenaient pas compte. De nombreux rats sont morts ou se sont échappés, ce qui a réduit les effectifs. Les entreprises ont entendu parler de cette nouvelle méthode de réduction des effectifs. C'est ce qui les a conduites à parquer leurs salariés dans des bureaux paysagés. *

Si votre entreprise est déjà équipée de bureaux paysagés cela ne veut pas forcément dire qu'elle court à sa perte. Mais si la direction envisage de réduire la taille des bureaux ou d'entasser davantage de monde dans le même bureau, vous courez droit à l'échec.

LE TRAVAIL EN ÉQUIPE

S'il est beaucoup question de travail en équipe dans votre entreprise, vous êtes foutu.

Le concept de « travail en équipe » s'est totalement transformé en passant du stade au monde de l'entreprise. Au basket, un bon joueur, c'est quelqu'un qui fait des passes. Si vous mettez un commercial dans une équipe de basket, il suivra le joueur qui aura le ballon en lui lançant des « Qu'est-ce que tu comptes en faire ? Et si on en discutait d'abord ? »

* Certaines sociétés ont conservé les rats dans leurs effectifs, généralement pour les emplois d'audit et d'assurance qualité. Si vous soupçonnez votre collègue d'être un rat, surveillez son comportement à l'égard de sa souris d'ordinateur. S'il l'utilise pour activer le curseur, c'est un humain. S'il tente de copuler avec, il est possible qu'il s'agisse d'un reste des tests en laboratoire. S'il s'en sert comme d'une pédale, c'est votre chef.

Le travail en équipe, c'est le parfait contraire de la bonne gestion du temps. Il est impossible de bien gérer son temps si on ne peut dire à ses collègues ce qu'on a sur le cœur. Ils essaient toujours de vous convaincre d'abandonner vos priorités au profit des leurs. Ce sont de méchants égoïstes.

Etre beau joueur, c'est être un joli tas de graines pour oiseaux dans une volière. Un par un, vos collègues viennent vous prélever une becquée de votre réserve en échange d'un petit « cadeau » d'une valeur marchande limitée. Partout où il est question de travail en équipe, vous verrez des gens portant des traces de bec sur le crâne.

Dans toutes les entreprises, le travail en équipe fonctionne. A des degrés divers. Pourtant, toutes ne sont pas vouées à l'échec. Le meilleur moyen de savoir si vous pratiquez suffisamment ce genre d'exercice pour courir à l'échec se résume à mesurer le temps qu'il vous faut entre le moment où vous décidez de partir déjeuner ensemble et celui où vous vous retrouvez tous autour de la table.

TEMPS QU'IL FAUT POUR ALLER DÉJEUNER	**EVALUATION DU TRAVAIL EN ÉQUIPE**
Cinq minutes	Ennuyeux mais pas encore dangereux
Un quart d'heure	Danger, alerte rouge
Une heure	Point critique ; l'entreprise court à sa perte

LES PRÉSENTATIONS À LA DIRECTION

Si votre produit de base est le transparent pour rétroprojecteur, il est clair que votre entreprise court à la catastrophe.

En général, l'entreprise moyenne dispose juste de quoi faire l'une des deux choses suivantes :

1. Accomplir quelque chose.

2. Préparer de savantes présentations mensongères sur l'état d'avancement des choses.

S'il a un peu de bon sens, le salarié détourne toutes les ressources disponibles afin, non pas d'accomplir la chose, mais de mentir sur son état d'avancement, ce qui est beaucoup plus rémunérateur.

Cela représente la même quantité de travail, mais avec l'avantage qu'un seul sera récompensé.

LES RÉORGANISATIONS

Les patrons sont comme des chats dans une litière. Instinctivement, ils remuent tout pour cacher ce qu'ils ont fait. Dans le monde de l'entreprise, c'est ce qu'on appelle la « réorganisation ». Le cadre moyen réorganise souvent, aussi longtemps qu'on le nourrit.

Il est très facile de savoir si vous réorganisez trop souvent et si, par conséquent, vous courez à votre perte. Notamment si vous entendez vos collègues poser l'une des questions suivantes dans les couloirs :

« Est-ce que ça serait si terrible que ça si je devais vivre dans une poubelle ? »

« Comment font les SDF pour se doucher ? »

« C'est mortel la tuberculose ? »

PARFOIS, JE PENSE QUE CES PERPÉTUELLES RÉORGANISATIONS NE SONT QUE DES PRÉTEXTES POUR SE DÉBARRASSER DES SALARIÉS INDÉSIRABLES.
3-18
S. Adams E-Mail: SCOTTADAMS@AOL.COM

À QUEL POSTE TU TE RETROUVES ?
AUX DONS D'ORGANES.

© 1994 United Feature Syndicate, Inc.
MON ÉPAULE ME JOUE DES TOURS. JE T'EN PARLE DIRECTEMENT OU IL Y A UN FORMULAIRE À REMPLIR ?
JE NE CROIS PAS QUE CE SOIT UN « ORGANE ».

NOUS ADOPTONS L'ORGANISATION HORIZONTALE AFIN DE SUPPRIMER LES ÉCHELONS ET DE METTRE TOUT LE MONDE DANS LA MÊME TRANCHE DE SALAIRE.
S. Adams E-Mail: SCOTTADAMS@AOL.COM

DÉSORMAIS, AU LIEU DE NE PAS AVOIR DE PROMOTION, VOUS N'AUREZ SIMPLEMENT PAS D'AUGMENTATION.
1-5-94

© 1993 United Feature Syndicate, Inc.
ALORS QUEL SERA NOTRE TITRE ?
VOUS VOUS APPELLEREZ TOUS PATRICK.

IL FAUT TROUVER UN NOUVEAU NOM AU SERVICE QUI VIENT D'ÊTRE RÉORGANISÉ.
S. Adams E-Mail: SCOTTADAMS@AOL.COM

IL DOIT REFLÉTER LA PERFECTION AVEC LAQUELLE J'AI RÉUNI LA PRODUCTION, LA CANTINE ET LA LOGISTIQUE.
3-16

© 1994 United Feature Syndicate, Inc.
QUE DITES-VOUS DE « FONDUE ROYALE » ?
« AMBITION AVEUGLE »
« L'ANARCHIQUE »

EUH... DILBERT, À PROPOS DE LA TÂCHE QUE JE VOUS AI CONFIÉE LE MOIS DERNIER...
S. Adams

VOUS VOUS SOUVENEZ, VOUS L'AVIEZ TROUVÉE TOTALEMENT RIDICULE ?
3-20

© 1992 United Feature Syndicate, Inc.
OUI ?
EH BIEN, APPAREMMENT JE CAPTE SPONTANÉMENT L'ESPRIT DE BOZO LE CLOWN.

LES PROCÉDURES

Si le personnel de votre entreprise n'est qu'un ramassis d'abrutis, vous êtes voué à l'échec. En général, on fait indirectement allusion à cette situation en parlant de nécessité d'« améliorer la procédure ». Si vous remarquez qu'on accorde une grande attention à l'amélioration des procédures, c'est un signe indéniable que tous les salariés intelligents ont quitté le navire et que ceux qui restent tentent désespérément de trouver une « procédure » suffisamment simple pour que les crétins restants puissent la suivre.

Là, il serait amusant de fermer les yeux et d'imaginer un système d'annonce publique qui dirait : « Marilyn vos Savant * a quitté l'immeuble ».

* Vous savez celle qui a le plus gros QI du monde.

23

LE REENGINEERING

Le reengineering a été inventé par le Dr. Jonas Salk en guise de remède aux programmes qualité.

Je plaisante.

La paternité du reengineering est largement attribuée à Michael Hammer et James Champy. Lorsque je parle de paternité, c'est sans allusion aucune au sexe et je vous demande bien pardon si c'est à quoi je vous ai fait penser. Je voulais dire qu'ils sont les auteurs du fameux ouvrage intitulé « Reengineering : réinventer l'entreprise pour une amélioration spectaculaire de ses performances », publié en 1993.

Les entreprises se sont abattues sur le reengineering comme la vérole sur le bas clergé. (Cette analogie n'était pas vraiment nécessaire, mais j'essaie de m'ôter de la tête ce truc de Hammer et Champy).

Le reengineering consiste à trouver de nouvelles approches radicalement différentes par rapport aux procédures qu'on a l'habitude de suivre. Sur le papier, ça semble aussi séduisant que l'approche de la

« Qualité », qui consiste à devenir plus performant dans les domaines auxquels on ne devrait pas toucher.

Mais il y a aussi le revers de la médaille. Avec le reengineering, le risque est que la moindre incompétence naturelle présente dans l'entreprise soit libérée à grands flots alors qu'auparavant elle était répartie au compte-gouttes dans de minuscules portions de « Qualité ». Cela peut s'avérer dangereux si, comme je l'ai souvent dit, nous ne sommes tous qu'une bande d'idiots.

Hammer, à qui ce risque n'a pas échappé, en a profité pour publier un second ouvrage en 1995, « The Reengineering Revolution ». Il y décrit toutes les inepties que les managers ont produit pour faire capoter sa recette du reengineering.

Comment faire foirer le reengineering, exemple

Pdg : « Sous-fifre, réingénierez l'entreprise. »
Sous-fifre : « Il me faut 10 millions de francs. »
Pdg : « Pour quoi faire ? »
Sous-fifre : « Pour réingénierer l'entreprise. »
Pdg : « Crétin, le reengineering c'est pour faire des économies. »
Sous-fifre : « Hum... Bon, je m'y mets tout de suite. »
Pdg : « Faites-moi savoir quand vous aurez terminé. »

Le reengineering a tendance à réduire le nombre de salariés nécessaires pour remplir une fonction. Ce malencontreux effet secondaire entraîne la peur et la méfiance parmi les salariés dont la participation est pourtant essentielle à la réussite du reengineering. On aurait tendance à croire que la crainte et la méfiance sabotent tous les efforts, mais ce n'est pas forcément le cas. De nombreux exemples montrent que les procédures fonctionnent tout aussi bien même lorsque la peur et la méfiance règnent.

Exemples :
- La peine capitale
- Les élections présidentielles
- Le marketing multiniveaux.

De la messagerie électronique...

De : (respect de l'anonymat)
Pour : scottadams@aol.com

Scott,
L'autre jour, dans les toilettes des cadres, j'ai surpris la conversation suivante :

« Alors, comment ça va ? Ça faisait un bail qu'on s'était pas vu. »
« J'ai été réingénieré. »
« Ah, mince. »

Compatissons pour le pauvre ahuri chargé du reengineering de l'entreprise : manque de soutien de la part de ses supérieurs, trahison de la part de ses subalternes. Il est possible d'y arriver mais les chances sont quand même très minces.*

Voici certains des plus gros obstacles au reengineering.

LE SYSTÈME DE DÉFENSE PAR MISSILES À TÊTE CHERCHEUSE

On demande souvent aux cadres de sacrifier certains de leurs salariés à l'effort de reengineering de l'entreprise. C'est l'occasion de se débarrasser des membres les plus incompétents sous prétexte de « travail d'équipe ». Ces salariés incompétents servent de « missiles à tête chercheuse ». Ils vont détruire le projet de reengineering sans toucher à l'organisation en place.

Une fois qu'on a les « missiles à tête chercheuse », il suffit de les réunir afin qu'ils réfléchissent ensemble aux différentes possibilités de reengineering radical :

Missile à tête chercheuse n°1 : « Est-ce que quelqu'un a une idée de reengineering radical ? »
Missile à tête chercheuse n°2 : « Pourquoi ne pas pré-lécher toutes nos enveloppes ? »
Missile à tête chercheuse n°1 : « Ça c'est plus une idée pour améliorer la « qualité » qu'une idée de reengineering radical. »

(Long silence)

Missile à tête chercheuse n°2 : « On pourrait compresser des postes occupés par des gens qu'on ne connaît pas, comme ça on ferait des économies. »
Missile à tête chercheuse n°3 : « Et qui ferait leur boulot ? »

(Nouveau long silence)

Missile à tête chercheuse n°2 : « D'autres gens qu'on ne connaît pas ? »
Missile à tête chercheuse n°1 : « Ah, ces chiffres-là me plaisent ! »

---

* Les chances sont à peu près les mêmes que d'avoir parié sur un cheval qui n'a jamais gagné sur terrain lourd et qu'il se met subitement à pleuvoir. Et que le cheval a deux pattes dans le plâtre. Et qu'il est mort.

LE SYSTÈME DE DÉFENSE PAR CAMOUFLAGE

Les cadres moyens qui sont menacés par le reengineering usent d'habiles manœuvres pour se protéger. Ils se dépêchent de redéfinir ce qu'ils font pour que ce soit du reengineering. Tout à coup, votre « projet de service clientèle » se voit rebaptisé « projet de reengineering du service clientèle ». Vous ne vous faites plus couper les cheveux, vous « réingénierez votre tête ». Vous ne partez pas déjeuner, vous « réingénierez vos intestins ».

Bientôt, il y a tant de reengineering dans l'air qu'il est difficile de trouver quelque chose qui ne soit pas du reengineering, tout au moins de nom.

Ensuite arrive la question du budget.

Les hauts dirigeants savent qu'il leur faut financer quelque chose qui porte le nom de « reengineering » sinon ils auront l'air de troglodytes. Le reengineering est « in » en ce moment. Le moyen le moins onéreux de financer le reengineering consiste à appeler « reengineering » ce qu'on finance déjà. (Les grands patrons ont d'abord été des cadres moyens, ils savent comment gérer un budget).

La direction jettera peut-être un os à ronger au « vrai » projet de reengineering en lui accordant un peu d'argent pour faire un petit essai.

L'ESSAI DE REENGINEERING

Un essai de reengineering est un test à petite échelle de la nouvelle procédure « réingénierée » proposée. En général, aucune des techniques ou des ressources nécessaires pour le projet de reengineering à grande échelle ne sont mises en œuvre pour procéder à l'essai. Alors la planification de l'essai se déroule à peu près comme suit.

Membre de l'équipe n°1 : « Il va nous falloir des postes de travail reliés par un système de réseau mondial branché sur satellite. »
Membre de l'équipe n°2 : « Tout ce qu'on a, c'est ce pot de déca qui reste de la réunion précédente. »
Membre de l'équipe n°3 : « On n'a qu'à s'en servir. On peut interpoler les résultats. »
Membre de l'équipe n°1 : « Ça va pas, non ? C'est du déca. »

CONCLUSION

Le reengineering d'une entreprise c'est un peu comme s'opérer soi-même de l'appendicite. Ça fait très mal, on n'est pas toujours très sûr de savoir comment s'y prendre, et il y a de bonnes chances qu'on n'y survive pas. Mais si ça fonctionne, on prend suffisamment confiance en soi pour aller traficoter les organes plus essentiels, comme ce gros truc rouge qui fait office de pompe.

24

DÉVELOPPER L'ESPRIT D'ÉQUIPE

Si les salariés de votre entreprise ne sont qu'un tas de psychopathes antisociaux épris d'indépendance, il est possible que vous ayez besoin de développer leur esprit d'équipe. Les exercices destinés à cette fin se présentent sous de multiples formes mais sont tous issus de l'armée. En général, ils consistent à soumettre les salariés à toute une série de situations pénibles jusqu'à ce qu'ils forment une équipe très unie ou qu'ils se battent comme des chiffonniers.

A deux reprises durant ma longue carrière en bureau paysagé, j'ai eu la chance de participer à un passionnant cours de « cordée » avec mes chers et talentueux collègues. La première expérience m'a enseigné tellement de choses que la seconde a été beaucoup moins dure. J'ai notamment appris qu'en faisant semblant de s'être blessé à la main, on peut se faire exempter des activités les plus dangereuses.

Le premier exercice de notre second cours était un exercice de confiance, à faire deux par deux, les partenaires étant choisis au hasard. L'un des deux devait se tenir droit et se laisser tomber en arrière sachant que l'autre, en qui on devait avoir toute confiance, était chargé de retenir sa chute. Cela semblait fonctionner sans problème pour la plupart des couples de mon groupe.

Quant à moi, ma partenaire (appelons-la Margie) a choisi la voie de la moindre résistance en laissant la gravité faire son travail. Lorsqu'on l'a interrogée après, Margie a expliqué qu'elle avait eu l'impression que mon long corps maigre et nerveux d'un mètre soixante-treize allait être « trop lourd » et qu'il valait donc mieux qu'elle s'enlève du chemin.

Je savais que plus tard nous allions devoir nous suspendre à de hauts arbres sous l'œil vigilant de nos fidèles partenaires chargés d'assurer notre protection à l'aide de cordes. Malheureusement, ma vieille blessure à la main s'est réveillée et j'ai dû me passer de cette partie de la manifestation.

Je n'ai toutefois pas tout perdu. J'ai dû rester planté là avec un casque immonde sur la tête à regarder mes collègues faire des choses que ne font généralement pas les gens qui sont, disons, suffisamment intelligents pour échapper à leur devoir quand ils sont appelés à faire partie d'un jury. Je me sentais tout à fait majestueux avec ce casque, à respirer le bon air de la campagne, en parfaite harmonie avec mes coéquipiers. Du moins jusqu'au moment où quelqu'un a fait remarquer à toute l'assemblée que mon casque était devant derrière. Un autre collègue a couru chercher son appareil-photo parce que j'avais « vraiment l'air marrant » avec mon short et mon casque stupide.

Ce jour-là, j'ai compris que si je parvenais un jour à quitter la prison de l'entreprise en creusant un tunnel, je ferais en sorte de bien reboucher le trou avant de sprinter pour retrouver le monde civilisé.

Le moment le plus fort de cette expérience a été l'exercice dans lequel toute l'équipe a dû avancer à travers champs en ne posant les pieds que sur de grosses bûches trop écartées les unes des autres pour pouvoir sauter. Le truc consistait à construire des ponts provisoires à l'aide de planches et à les faire glisser suffisamment en rythme pour que l'équipe avance sans laisser ni planche ni personne derrière.

A mi-chemin, notre courageux directeur régional s'est rendu compte qu'il avait choisi la mauvaise stratégie en écoutant l'opinion des autres membres du groupe alors il a « pris le contrôle » et s'est mis à aboyer ses instructions. Nous les avons suivies, même si elles ne nous paraissaient pas optimales. Sur le moment, il faut dire qu'on lui faisait confiance et bien sûr, à cause des fameuses « représailles », on a accepté de se laisser guider sans broncher.

A la fin de l'exercice, on était tous arrivés à bon port, sauf lui. Il était resté bloqué loin derrière à essayer de trouver l'équilibre à l'aide de deux planches qu'il tenait dans ses bras. Je pense qu'il y est encore.

Pour le reste, vous trouverez tout ce que vous devez savoir sur le développement de l'esprit d'équipe et le travail en équipe dans les dessins et les messages électroniques qui suivent.

LE TRAVAIL EN ÉQUIPE EN IMAGES

J'AI APPRIS À ÉCOUTER MON CŒUR. À RESPECTER LES AUTRES. JE COMPRENDS LE SANSCRIT. J'AI OBTENU MA LICENCE DE RADIO-AMATEUR. JE SAIS FAIRE LA DIVISION PAR ZÉRO...

6/9 © 1995 United Feature Syndicate, Inc. (NYC)

HISTOIRES DE TRAVAIL EN ÉQUIPE

De : (respect de l'anonymat)
Pour : scottadams@aol.com

Scott,
Chez [entreprise], les problèmes se règlent généralement dans le couloir. Ces réunions improvisées nous font perdre un temps fou. Néanmoins, il est très difficile d'y échapper parce que les participants donnent toujours l'impression de vouloir l'opinion de tout le monde.

J'ai pris l'habitude de m'excuser pour aller aux toilettes ou de ramener des glaçons de la cuisine à la main. Comme ça, si je me fais coincer dans une réunion, je peux dire que la glace fond et que ça me fait froid aux mains. On me laisse partir et personne ne semble jamais s'interroger sur l'utilité ou l'aspect commercial de passer son temps à transporter des glaçons.

De : (respect de l'anonymat)
Pour : scottadams@aol.com

Scott,
L'équipe a recruté un nouvel ingénieur, une femme, alors on lui a préparé un bureau cloisonné avec tout le mobilier nécessaire. Elle commence la semaine prochaine. Mais un gars de l'équipe, [le collègue n° 1], a décidé qu'il préférait ce bureau-là au sien, alors il a embauché quelques gros bras pour l'aider à déménager.

J'arrive pour voir ce qu'ils trafiquent au moment où ils s'apprêtent à sortir le mobilier de la nouvelle recrue. Je me dis que ce mobilier est mieux que le mien, alors je demande aux gars de mettre les meubles de la nouvelle dans mon bureau et de prendre les miens à la place... Bref, mon vieux mobilier a finalement atterri dans l'ancien bureau de [collègue n° 1], autrement dit le bureau désormais attribué à la nouvelle recrue.

Au moment où les gars sortent mon bureau, qui est identique à celui de [collègue n° 1] de mon bureau, un autre ingénieur, [le collègue n° 2], arrive pour voir ce qui se passe et mentionne en passant qu'il trouve ce bureau mieux que le sien (parce que lui n'a, en fait, qu'une table).

Donc, à son arrivée, je pense que la nouvelle devra se satisfaire de deux armoires à classeurs branlantes, une table et une chaise dans un bureau situé juste à côté de la salle de conférence.

En plus, aucun de nous n'a travaillé de la matinée et certains se sont vraiment inquiétés en nous voyant déplacer tout ce mobilier parce qu'ils ont cru que l'un d'entre nous quittait l'équipe.

De : (respect de l'anonymat)
Pour : scottadams@aol.com

Scott,
Voici un drôle de scénario catastrophe, enfin, une histoire vraie qui s'est passée dans une entreprise où j'ai travaillé. Le pdg avait décidé qu'il fallait qu'on organise une sortie. A son avis, l'idéal était une balade à vélo. Il a donc choisi un itinéraire de cinquante kilomètres et nous a distribué des cartes dessinées à la main.

La moitié des gens de la boîte ne possédaient pas de bicyclette, alors ils en ont loué. Personne n'était en forme. Le parcours s'est révélé relativement accidenté (de toute façon, cinquante kilomètres, ça fait beaucoup même sur du plat quand on n'a pas l'habitude de faire du vélo). La carte était fausse et personne n'avait pris de vraie carte. Plusieurs personnes se sont perdues et n'ont pas réussi à nous retrouver pour le déjeuner. Quelqu'un a fini à l'hôpital (il a fait une crise d'hypoglycémie dans une montée). Les discussions et les activités prévues pour la journée n'ont pas eu lieu. Et le pdg a mis des jours à comprendre à quel point cette sortie avait été désastreuse. Ben quoi, lui, il s'était bien amusé.

25

LES CHEFS

DÉFINITION DU CHEF

Etre chef, c'est quelque chose de tout à fait intangible et d'impossible à définir clairement. C'est probablement mieux comme ça parce que si les gens qui doivent obéir aux ordres en connaissaient la définition, ils donneraient la chasse à leur chef pour l'abattre.

Les cyniques diront sans doute qu'un « chef » c'est quelqu'un qui fait faire par les autres des choses dont il s'attribue tout le mérite. Mais ce n'est pas une bonne définition parce qu'il y a vraiment trop d'exceptions, comme vous le savez bien. *

* Dites-moi vite quelles sont ces exceptions ; je commence à devenir cynique.

LES ORIGINES DU MOT « CHEF »

Le mot « chef » vient du mot latin « caput », qui signifie « tête ». Il s'est répandu à peu près à la même époque que l'invention de la guillotine. Sans doute parce qu'on s'était rendu compte que dans toute organisation, la personne qui commandait était celle dont tout le monde rêvait de couper la tête.

Je déconseille cette pratique, c'était juste pour souligner un point d'intérêt historique.

LA VISION DES PATRONS

Les patrons passent leur temps à se concentrer sur les « visions » du futur. Cela demande parfois de déjeuner avec d'autres patrons, de participer à des concours de golf, voire de lire un livre. Cela peut prendre différentes formes, dès l'instant qu'il n'en ressort rien de tangible.

A travers ces activités, le patron espère convaincre les employés des choses suivantes :

1. Le patron connaît l'avenir et a accepté de faire partager ses connaissances à l'entreprise au lieu d'user de cet immense pouvoir pour gagner au loto.
2. Quelque part, la voie choisie n'est pas aussi « évidente » que vous pouvez le penser, alors vous avez la chance d'avoir un patron, quel qu'en soit le prix.
3. Il y a des avantages intangibles à être salarié. Ces avantages compensent le maigre salaire et les mauvaises conditions de travail. La nature de ces avantages intangibles vous sera révélée ultérieurement à moins que vous n'ayez une mauvaise attitude.

Manifestement, tout bon patron part de l'hypothèse que les gens qu'on commande sont incroyablement crédules. L'histoire a prouvé la perspicacité de cette supposition, ne serait-ce que parce que de nombreux patrons ont échappé au meurtre.

L'INSTINCT DE SURVIE DU PATRON

La qualité la plus importante chez un chef, c'est sa capacité à s'attribuer le mérite des choses qui se font toutes seules. A l'époque primitive, les chefs tribaux s'attribuaient le mérite du changement de saison et du fait que le bois flotte. Leur grand avantage résidait dans l'ignorance des masses qui travaillaient pour eux. Mais la télévision a largement comblé le « fossé du savoir », alors le chef moderne se voit contraint de s'attribuer le mérite d'événements beaucoup plus subtils.

Si la comptabilité, par exemple, prévoit que les bénéfices vont augmenter en raison d'une variation des taux de change sur les marchés internationaux, le bon patron créera une « initiative qualité » au niveau de l'ensemble de l'entreprise afin de disposer d'un programme pour s'attribuer le mérite de la hausse des bénéfices. Les salariés se plient au jeu en espérant que le patron se fera remarquer par une autre entreprise qui le débauchera. Tout le monde est gagnant lorsque le patron réussit.

D'OÙ VIENNENT LES PATRONS ?

Voilà une question qui date de Mathusalem : est-ce que les patrons naissent patrons ou est-ce que ce sont les autres qui les font patrons ? Et dans ce dernier cas, y a-t-il un moyen de se faire rembourser si on n'est pas satisfait ?

Les patrons sont des gens capables de poursuivre une voie qui semble illogique voire dangereuse à tous les autres. Le bon sens nous dit que personne n'a besoin d'un chef pour suivre son instinct ; tout le monde sait faire ça tout seul. Par conséquent, si le chef recommande une voie qui semble illogique au péquin « moyen », on peut conclure qu'un chef doit être, au choix :

1. Tellement intelligent que personne ne peut partager sa vision
2. Un sombre crétin.

Pour trouver la bonne réponse, on peut passer en revue certains hauts faits des grands chefs de l'histoire et déterminer, avec le recul, s'ils étaient le fruit de l'imagination de personnes mentalement incompétentes ou de celle de grands visionnaires. Si un schéma émerge de cette étude, nous aurons notre réponse.

EXEMPLE DE LA GRANDE MURAILLE DE CHINE

La construction de ce long mur qui s'étend sur des milliers de kilomètres a nécessité une main-d'œuvre considérable pendant des dizaines d'années. Il est tellement imposant qu'on le voit de l'espace. Mais franchement, ça ne vaut pas la peine d'essayer de vérifier parce qu'il faut retenir son souffle pendant longtemps et on risque de prendre feu au retour dans l'atmosphère.

La Grande Muraille avait pour fonction de protéger les Chinois des invasions armées. Mais les envahisseurs ont rapidement compris que les gardes se laissaient facilement soudoyer. Compte tenu de l'impôt démesuré prélevé par l'empereur, le garde moyen devait se contenter d'un croûton de pain et d'une poignée de cailloux. Inutile de dire qu'il était effectivement vulnérable aux tentatives de corruption.

Le général de l'armée d'invasion n'avait qu'à amener ses troupes au pied de la Muraille, envoyer une paire de sandales au garde et attendre que la porte s'ouvre grand. Ensuite il tuait le garde car il n'y avait aucune raison de gaspiller une bonne paire de sandales.

Conclusion

Les chefs qui ont construit la Grande Muraille étaient des imbéciles.

Conclusion subsidiaire

Mais ils étaient plus intelligents que les gardes.

EXEMPLE DES GRANDES PYRAMIDES

Voyons l'exemple des grandes pyramides d'Egypte. En fait, je n'ai jamais regardé un documentaire sur les pyramides en entier, alors je ne peux pas vraiment prétendre faire autorité en la matière. Mais il me semble que ces monuments ont été érigés en hommage aux chefs d'Etat de l'époque, peut-être même pour les aider dans leur vie dans l'Au-delà.

Quoi qu'il en soit, les choses n'ont pas tourné comme prévu. Ça m'est arrivé de payer 60 francs pour jeter un œil à la boîte qui renfermait la momie de gringalet du pharaon Toutânkhamon au musée De Young à San Francisco. Je me souviens d'avoir pensé qu'il devait être super content de la manière dont les choses avaient tourné pour lui après sa mort.

Conclusion

Les chefs qui ont construit les pyramides étaient des imbéciles.

EXEMPLE DE GENGIS KHAN

Il y a très longtemps, un sinistre soir glacial dans la toundra, Gengis Khan ordonna à ses hordes de Mongols de sauter à cheval et d'aller montrer leurs derrières au village voisin. Sans la moindre raison, si ce n'est d'avoir la paix un moment, s'asseoir sous sa tente et dessiner des vêtements à la mode dans des peaux de bête.

Après une longue série d'interprétations plus créatives les unes que les autres, la légende de Gengis Khan a fini par devenir un truc énorme. C'est vrai qu'à l'époque la planète ne comptait qu'une petite poignée d'habitants, alors tout prenait une importance démesurée. Et tout le monde devait penser qu'il valait sans doute mieux embellir l'histoire pour que les hordes de Mongols n'aient pas l'air trop bête dans les futurs ouvrages de management.

Conclusion

Gengis Khan était un crétin comme chef mais comme styliste, il n'était pas si mauvais.

EXEMPLES DE L'ÉPOQUE MODERNE

Une quelconque conclusion ne saurait être établie sur la simple base de quelques exemples historiques, aussi convainquants soient-ils. Tournons-nous plutôt vers les témoignages de personnes qui subissent les ordres d'un patron dans les entreprises du monde entier. Il semble plausible que nous en voyions émerger un schéma.

De : (respect de l'anonymat)
Pour : scottadams@aol.com

Scott,
Voici une histoire vraie :
Notre service de comptabilité déjà surchargé a dû dernièrement consacrer vingt jours d'affilée, week-ends et jours fériés compris, au bouclage des comptes de l'année. Une fois le travail terminé, l'un des responsables est allé voir le grand patron pour savoir s'il serait possible d'obtenir soit des jours de récupération soit une prime. Le patron lui a simplement demandé s'il n'avait pas lu Mère Courage. Ça a été sa seule réponse.

De : (respect de l'anonymat)
Pour : scottadams@aol.com

Scott,
Juste quand je commençais à me dire que les membres de la direction ne pouvaient pas devenir plus incompétents...

Une de mes amies qui travaille avec moi chez [entreprise] vient de remettre sa lettre de démission. La direction lui a retourné avec des corrections en rouge pour qu'elle la récrive (très attentionnés, ils lui ont fourni la copie de la lettre de démission de sa plus proche collègue – qui avait démissionné la semaine précédente – à titre de modèle de ce qu'ils aimeraient recevoir).

Parmi les raisons de leur départ, ces deux personnes mentionnaient « le manque de compétence de la direction ». On leur a demandé de fournir des exemples.

Hum...

De : (respect de l'anonymat)
Pour : scottadams@aol.com

Scott,
Il y a quelques années, les directeurs généraux de [société] sont

allés visiter un certain nombre d'autres entreprises, dans le but de découvrir les pratiques managériales auxquelles elles devaient leur réussite. L'une de ces entreprises était Federal Express.

Après des semaines et des semaines de visite, avec quoi sont-ils revenus ? Eh bien, il semble que les salariés de FedEx ne soient pas qualifiés de salariés mais d'« associés ». Ce doit être pour cela que FedEx marche si bien !

Alors, on nous a annoncé en grande fanfare que désormais nous serions également des « associés » et non plus des salariés. Pour des raisons empreintes d'égalitarisme et de générosité, nous serions « tous » des associés. La manœuvre était censée accroître notre efficacité et notre productivité.

Quelques semaines plus tard, le directeur général des ressources humaines a annoncé qu'il y aurait désormais des « associés », des « responsables » (autrement dit, les superviseurs et les cadres moyens) et des « responsables supérieurs » (autrement dit, les cadres supérieurs).

Voilà, le plus flagrant (et le plus efficace) des résultats de la tournée des directeurs généraux dans les entreprises bien gérées qu'ils souhaitaient imiter.

De : (respect de l'anonymat)
Pour : scottadams@aol.com

Scott,
Je me suis récemment retrouvé, au boulot, dans une situation qui m'a terriblement fait penser à Dilbert :
(1) Le patron me demande ce que je pense de l'une de ses propositions parce qu'elle va avoir un impact sur mon service.
(2) Je réponds que je ne crois pas qu'elle puisse marcher.
(3) Incessantes réunions, innombrables convocations en salle de conférence et multiples messages électroniques.
(4) De l'avis général, la proposition n'a aucun sens.
(5) Le patron décide de mettre sa proposition en œuvre.
(6) Le patron du patron envoie un message au patron lui demandant pourquoi cette proposition est entrée en vigueur. Que cela n'a aucun sens.
(7) Le patron me fait passer le message en me demandant pour-

quoi nous avons mis en œuvre la proposition, et de préparer une réponse !

De : (respect de l'anonymat)
Pour : scottadams@aol.com

Scott,
Voici une histoire vécue.
Je travaille sur un projet en collaboration avec [grande entreprise]. Pour ce projet, nous devons trouver le nom d'un [produit]. Mais ils n'arrivent pas à se décider.

Aujourd'hui, nous avons appris qu'ils avaient bien avancé. Leur direction a expliqué qu'ils avaient formé une équipe de cadres qui allaient désigner d'ici le lundi suivant une personne chargée de fournir un échéancier pour la détermination du nom de l'appareil.

Et dire qu'on s'inquiétait de savoir s'ils faisaient vraiment quelque chose...

De : (respect de l'anonymat)
Pour : scottadams@aol.com

Scott,
A la question de savoir si les salariés actuels seraient relocalisés dans le cas où l'entreprise remporterait un contrat à venir ou si elle embaucherait localement, voici ce qu'un des directeurs généraux nouvellement embauché dans ma société a répondu :

« Les ingénieurs sont avant tout un produit de base. D'un point de vue économique, l'entreprise n'a absolument pas intérêt à payer un déménagement si elle peut s'acheter le même produit de base sur place. »

Le commentaire a été publié dans le bulletin interne de l'entreprise. Naturellement, cela a perturbé certains membres du personnel qui ont fait irruption lors d'une réunion générale organisée par ledit directeur, quelques jours plus tard. Ils se sont assis au premier rang avec des inscriptions scotchées sur le corps comme « bananes », « poisson frais », etc.

Le directeur a eu beau essayer de faire des claquettes pour convaincre, il n'a pas réussi à convertir grand monde.

De : (respect de l'anonymat)
Pour : scottadams@aol.com

Scott,
(...) Mon département a décidé de motiver ses salariés dans le plus pur style républicain en remettant à chaque ingénieur une carte en plastique de six centimètres sur dix marquée « Contrat [nom du département] » en caractères de corps 16. Selon la lettre diffusée avec le contrat :

« Quelqu'un a dit un jour qu'on sait qu'on tient une bonne stratégie quand on peut répondre « non » à une demande. Usez de cette carte de la même manière. Si on vous demande de faire quelque chose qui n'a rien à voir avec le contrat, contestez son importance et rappelez que tous nos efforts sont tournés vers l'accomplissement d'un grand avenir fait d'opportunités, de croissance et de profits ».

D'abord, n'est-ce pas Dogbert qui spécifiait la différence entre l'entreprise qui a une stratégie et celle qui n'en a pas ?

Peut-être la nature a-t-elle imité l'art en la matière. C'est vous qui l'avez demandé. Jetez un œil à cette bande dessinée tirée d'un ouvrage publié en 1991 :

DE L'IMPORTANCE DES STRATÉGIES

De : (respect de l'anonymat)
Pour : scottadams@aol.com

Scott,
Cette histoire est arrivée à un de mes amis qui travaille chez [nom de l'entreprise].

Deux directeurs généraux doivent venir visiter le labo. Naturellement, on stoppe tout travail productif pour polir les sols à la peau de chamois, ranger le labo et nettoyer les toilettes. (Au moins il en sera sorti quelque chose de positif.)

Une des responsables se met en tête d'étiqueter tout l'équipement du labo. Elle colle des étiquettes partout sauf peut-être sur le taille-crayons. Mon ami doit même en enlever certaines parce que ça devient quasiment insultant.

Grâce à Dieu, une étiquette « analyseur logique » est collée sur le logo de l'analyseur logique HP. Je crois que l'étiquette « sol ciré » ne voulait pas coller à cause de la cire fraîche. Néanmoins, l'absurdité ne s'arrête pas là.

Un directeur local entreprend une ronde de contrôle, hoche la tête et déclare : « Mon Dieu, je comptais faire un tour du labo, pas d'un salon interprofessionnel » et repart. Un murmure parcourt les rangs des autorités constituées :

« Il ne voulait pas d'un salon interprofessionnel. » « Il ne voulait pas d'un salon interprofessionnel. »

C'est en partant qu'il a porté ce coup final alors qu'on était en train de rajouter des mottes de gazon aux endroits les plus dénudés près de l'entrée.

Une autre demie-journée de perdue à re-ranger le labo.

J'imagine bien toute une équipe chargée de prendre soin de ces huiles, avec notamment un type qui doit déposer une motte de gazon devant chacun de leur pas afin que leurs pieds délicats n'effleurent pas le sable. Je me demande combien de personnes il faut pour les soutenir au-dessus des toilettes pour qu'ils ne touchent pas le siège et comment ils font pour tenir tous dans la cabine ???

De : (respect de l'anonymat)
Pour : scottadams@aol.com

Scott,
La chose la plus stupide qu'ait jamais faite mon chef pour notre groupe a été d'instituer un système de points. Nous avions tous des listes sur lesquelles nous cochions les choses que nous avions faites pendant la journée et il nous distribuait des points.

Pas très intelligent, le type.

De : (respect de l'anonymat)
Pour : scottadams@aol.com

Scott,
Histoire vraie :
Une année où les choses allaient très mal pour la boîte, le nouveau pdg a décidé qu'il nous fallait une réunion de motivation, avec projection d'une vidéo d'entreprise. Le film mettait l'accent sur l'attitude de Maxie Anderson, célèbre aéronaute américain, dont la devise était de « persévérer jusqu'à la réussite ». La présentation était accompagnée d'une lettre personnelle du célèbre aéronaute.

(Maxie s'était tué trois ans auparavant dans un accident de ballon).

De : (respect de l'anonymat)
Pour : scottadams@aol.com

Scott,
Histoire vraie :
Un jour, lors d'une réunion, un des grands patrons était en train de rêvasser en mâchouillant le bord de son stylo. Le stylo s'est mis à fuir et pas une seule des personnes présentes n'a pris la peine de l'avertir qu'il avait de l'encre bleue qui lui coulait le long de la commissure des lèvres et gouttait sur sa chemise. Tout le monde s'est retenu de pouffer pendant que le pauvre type se mettait du bleu partout.

Ils l'ont laissé mâchouiller son stylo pendant toute la réunion.

De : (respect de l'anonymat)
Pour : scottadams@aol.com

Scott,
Comme certaines spécialités en ingénierie sont très recherchées

par ici, le personnel qualifié ne cesse de partir dans d'autres entreprises où on gagne jusqu'à quinze pour cent de plus pour moitié moins de travail.

La direction convoque le reste des ingénieurs en réunion.

Lesdits ingénieurs pensent que la direction va leur annoncer que leurs salaires ou leur charge de travail vont être révisés.

Lors de la réunion, la direction distribue des tee-shirts et, en un mot, leur souhaite une « bonne journée ».

Il paraît qu'on a vu les ingénieurs danser sur leurs tee-shirts dans leurs bureaux.

De : (respect de l'anonymat)
Pour : scottadams@aol.com

Scott,
Vous ne croirez peut-être pas ce qui suit ; au début, je n'y ai pas cru non plus, pourtant c'est véridique.

Ici, chez [entreprise], la création de l'un des programmes nous oblige à faire cinq heures supplémentaires par semaine. (Les cinq premières heures supplémentaires d'une semaine ne sont jamais payées). Quoi qu'il en soit, une femme qui travaille sur le programme a pris deux semaines de congé. A son retour on lui a signifié qu'elle devait dix heures sup pour le temps qu'elle n'avait pas passé pendant qu'elle était en vacances.

Elle leur a dit qu'ils n'avaient qu'à la virer. Je ne crois pas que j'aurais pris les choses aussi bien que ça.

De : (respect de l'anonymat)
Pour : scottadams@aol.com

Scott,
Apparemment, le département technique a diffusé le nouveau programme de mission de [entreprise] et tous les salariés sont priés de le signer afin d'exprimer leur soutien.

Quand on signe le programme de mission, on vous offre une broche qu'on est censé porter. Ensuite (et c'est le meilleur), si vous croisez quelqu'un d'autre qui porte la même broche, vous êtes censé lui faire le « salut secret ». Ça consiste à porter la main sur la broche et à faire signe à l'autre qu'on est les meilleurs. On s'est dit que ce serait peut-être aussi simple de se faire le salut nazi.

Des fois, il y a vraiment de quoi se demander !

De : (respect de l'anonymat)
Pour : scottadams@aol.com

Scott,
Ici, on a un « chef d'équipe » qui fait partie de ces gens (idiots) qui arrivent toujours en retard d'un quart d'heure aux réunions et insistent pour qu'on revienne sur tous les sujets abordés en leur absence.

Durant la période des vacances, c'était plutôt calme et il n'avait rien à faire. Il est quand même venu à une réunion qui n'avait rien à voir avec lui ou son service. Il s'est assis en déclarant qu'il n'avait pas vraiment l'impression de « travailler » s'il n'assistait pas à une réunion. Comme c'était la seule réunion de la journée dans l'immeuble ce jour-là, il a décidé de se joindre à nous.

On l'a autorisé à rester puisqu'il semblait y tenir mais à la condition qu'il ne fasse pas de bruit. Bien sûr, il n'a pas pu s'empêcher de mettre sur le tapis des choses totalement sans rapport avec ce dont nous venions de parler.

De : (respect de l'anonymat)
Pour : scottadams@aol.com

Scott,
Notre société allait bientôt fêter son huitième anniversaire. Un groupe de salariés s'est réuni pour organiser une petite fête dans la cour derrière nos locaux. Lorsqu'il l'a appris, le patron a insisté pour prononcer un discours.

Tout s'est déroulé comme prévu. Plus d'une centaine de

salariés sont venus déguster les petits fours et sabler le champagne. C'est alors que le patron s'est lancé dans son petit discours démago. On pourrait le résumer à peu près en ces termes : « Nous sommes peut-être nouveaux sur le marché mais nous serons bientôt les meilleurs si nous parvenons à embaucher de meilleurs salariés. »

Le plus triste c'est qu'il ne s'est absolument pas rendu compte qu'il insultait tous ses employés. On en parle encore de ce fameux discours !

De : (respect de l'anonymat)
Pour : scottadams@aol.com

Scott,
La direction de votre entreprise a-t-elle autant d'inspiration que cela ?

Extrait de la première page du bulletin de Qualité Totale de [société] :

« La seule chose qui distingue les meilleures entreprises de leurs infortunées concurrentes c'est leur capacité à rester compétitives dans un environnement terriblement compétitif !... »

Suffit-il vraiment de sortir des évidences pareilles pour être cadre supérieur... ??

De : (respect de l'anonymat)
Pour : scottadams@aol.com

Scott,
Notre directeur général nous a fait un grand discours de motivation lors de notre réunion générale avant Noël. Voici comment il a défini notre mission : « Etre une entreprise de choix pour notre clientèle, nos partenaires et nos salariés ». Suite à quoi il a donné sa démission, en février, pour prendre la direction d'une entreprise concurrente.

En tout cas, en voilà un qui a fait son choix !

De : (respect de l'anonymat)
Pour : scottadams@aol.com

Scott,
J'étais assis ici à finir mon petit pain au raisin et j'allais avaler l'avant-dernière bouchée... lorsque j'ai remarqué un collègue dans un bureau de l'autre côté du couloir qui disait quelque chose à propos des « dirigeants de société » et de « ne pas jouer le jeu »... Je me suis imaginé le dernier morceau de petit pain qui me restait rebondir à la perfection sur son crâne si je le lançais avec suffisamment de force par-dessus la cloison...

De : (respect de l'anonymat)
Pour : scottadams@aol.com

Scott,
Voici l'histoire :
Il y a deux ans environ, j'ai réalisé un graphique illustrant un problème sur un circuit de ma conception que nous utilisions dans la plupart de nos produits. A l'occasion d'une réunion avec le directeur général du département d'ingénierie, je l'ai informé du problème en lui montrant le graphique.

Il a pris le schéma, l'a regardé, puis a déclaré : « Waouh ».

J'ai cru qu'il avait constaté, comme moi, l'évidence d'un problème avec le circuit et que cela touchait une grande partie de notre ligne de production.

« Waouh, a-t-il répété, comment avez-vous réalisé ce graphique ? »

Durant les quinze jours qui ont suivi, j'ai passé la majeure partie de mon temps à dessiner des schémas pour ce directeur, qui s'en servait durant ses propres réunions avec le comité de gestion de l'entreprise. En effet, ils lui permettaient enfin de souffler la vedette à tous les clowns du marketing (également directeurs généraux) qui faisaient réaliser leurs graphiques sur Mac par leurs secrétaires. Ces dernières y passaient des semaines entières.

Si j'avais réalisé un schéma classique, il aurait tout de suite vu le problème et nous l'aurions peut-être résolu. En l'occurrence, il m'a fallu attendre un an pour pouvoir aborder la chose, le temps que notre clientèle finisse par mettre, à son tour, le doigt sur le problème. Lorsqu'elle s'est rendue compte que tous ses soucis provenaient de notre puce (le fameux circuit défectueux), elle nous a demandé de revoir notre matériel.

Aussi étrange que cela puisse paraître (ou pas), on m'a finalement attribué le mérite non pas d'avoir découvert le problème avant qu'il n'ait causé une gêne à nos clients, mais d'avoir trouvé la solution après.

De : (respect de l'anonymat)
Pour : scottadams@aol.com

Scott,
Un cadre avait suggéré un moyen pour ne pas retarder les réunions :

Pour chaque minute de retard, le retardataire devait verser cinq francs à chaque personne présente qu'il avait fait attendre (FF = personnes x minutes).

Cela n'a pas duré longtemps à partir du jour où l'instigateur de cette politique est arrivé à une réunion de trente personnes avec quarante minutes de retard !

De : (respect de l'anonymat)
Pour : scottadams@aol.com

Scott,
Chez nous, on nous demandait de justifier la façon dont on occupait son temps sur des fiches de pointage comportant des tranches de six minutes. Il faut quand même dire que nous étions censés être « salariés ».

L'origine de cette mesquinerie remonte à quelques années, quand les responsables de la division s'étaient faits prendre à falsifier les registres. Pour y remédier, la haute direction avait choisi de ne pas punir directement les responsables mais de réprimander la masse en faisant pression sur elle à propos de tout, notamment de la répartition de son temps.

Récemment, un des membres du personnel a subi un contrôle inopiné. On lui a posé des questions du genre : « Sur quoi travaillez-vous en ce moment ? Quel est votre numéro de fiche ? Vous êtes-vous déjà livré à la fraude ? (Je ne plaisante pas à propos de cette dernière question. Ils lui ont vraiment demandé ça !!) ».

Mais l'entretien a duré plus de six minutes... (sept, pour être exact). Alors par la suite, il s'est fait tirer les oreilles pour avoir imputé le temps de son entretien à son projet !! Il a dû rédiger une note pour dire qu'il était désolé, son supérieur a dû en rédiger une pour dire que cela ne se reproduirait plus et le « dg compétent » (pléonasme) en a rédigé une disant que les têtes tomberaient si cette attitude éminemment déplorable devait se répandre...

Enfin, les choses s'améliorent : le règlement est moins strict maintenant, on ne doit plus justifier de notre temps que toutes les quinze minutes...

De : (respect de l'anonymat)
Pour : scottadams@aol.com

Scott,

Récemment, un directeur des ressources humaines me racontait qu'un salarié avait des problèmes de stress chronique liés à l'utilisation de la souris. J'ai suggéré qu'on fournisse à cette personne un stylo et une tablette afin de soulager ses souffrances et qu'il retrouve sa productivité.

Le directeur a répondu : « Chut, ne parlez de ça à personne. S'ils découvraient qu'ils peuvent échapper à la souffrance et à la douleur, ils en réclameraient tous ! »

De : (respect de l'anonymat)
Pour : scottadams@aol.com

Scott,
Durant une guerre de services particulièrement féroce, alors que chacun se défendait du mieux qu'il pouvait, le directeur est arrivé à une réunion hebdomadaire, a posé un magnétophone sur la table et l'a mis en marche. Tout le monde s'est redressé sur sa chaise et a regardé à gauche et à droite, le visage vide d'expression.

Le directeur s'est mis à réprimander les personnes présentes pour leur manque de participation en réunion et pour leur stress apparent.

Son assistant a distribué un formulaire intitulé « stressomètre ». Il comportait sept cases, correspondant chacune à un degré de stress, depuis « tout m'est égal » (stress de niveau 0) jusqu'à « je suis sur le point d'exploser » (stress de niveau 7).

Chacun devait remplir son formulaire, le signer et le retourner.

Après dépouillement des stressomètres, les résultats ont été affichés dans le hall.

« Stress de niveau 4,3 pour cette semaine ! »

La semaine suivante : « Stress de niveau 4,2, c'est bien ! »

Naturellement, tous les formulaires « confidentiels » ont été accrochés au mur de la salle où on prend le café, comme ça chacun a pu essayer de savoir qui était sur le point d'exploser et qui dormait sur son bureau.

De : (respect de l'anonymat)
Pour : scottadams@aol.com

Scott,
Voici la dernière de ma boîte : on vient de subir toute une série de licenciements, chacun censé être le dernier. Des groupes entiers ont été délocalisés, mais uniquement après de longs débats publics sur le fait que leurs connaissances techniques pointues n'apportaient vraiment « aucune valeur ajoutée ». Actuellement, une « équipe de cow-boys » tente de mettre en œuvre l'« initiative indienne ». Nous venons de nous réorganiser

et la moitié des cadres ont été manifestement nommés en fonction de leur capacité à faire suer leur chef.

Le moral est au plus bas.

Et voilà qu'à notre grande surprise, ce problème de moral a été reconnu. (A mon avis, ils s'inquiètent un peu de voir que les gens ne décident pas de partir avant de se faire licencier). Une « séance de réflexion » a été organisée pour aborder la question.

Parmi les solutions proposées, voici ce qui a été suggéré :

– reconnaître et récompenser l'expertise technique ;

– établir une grille de salaires proche du marché ;

– communiquer les plans de délocalisation ;

– recycler les personnes disposant de compétences de moindre « valeur ajoutée ».

A la suite des débats sur chacune de ces solutions (et de bien d'autres encore), une longue délibération a donné lieu à la création de... « l'équipe des LOISIRS » !!!

Le moral des troupes est très bas. Il nous faut des pique-niques et des parties de boules. Si on se fréquente davantage durant notre temps libre, tous nos problèmes disparaîtront.

Si seulement j'avais suivi davantage de cours de gestion, je suis sûr que je comprendrais tout ça...

DE L'IMPORTANCE DES CHEVEUX POUR LES CHEFS MASCULINS

Pour finir, si on veut faire un tour d'horizon complet des qualités nécessaires pour devenir chef, il ne faut pas oublier le problème des cheveux. Pour les femmes, le fait d'avoir des cheveux suffit. Pour les hommes, en revanche, la qualité du cheveu est un élément fondamental.

C'est lorsque j'ai travaillé pour la banque Crocker, puis chez Pacific Bell, que j'ai remarqué, pour la première fois, cette corrélation entre le cheveu et la position de chef. Depuis, je me suis rendu compte qu'il ne pouvait s'agir d'une coïncidence.

Au sommet de la pyramide exécutive, on trouve toujours des hommes à la chevelure épaisse, de longueur moyenne, séparée par une raie sur le côté. C'est le type de chevelure qui grisonne avec le temps, sans jamais s'amenuiser.

Une chevelure à la Perma. A la Jack Kemp. A la Newt Gingrich. Une chevelure qui ne tombera jamais. Capable de faire dévier une balle. Une chevelure qui protégerait un véhicule spatial à son entrée dans l'atmosphère. *

Il y a des exceptions, bien sûr. Parfois, un cadre supérieur chauve hautement capable comme Barry Diller parvient à passer au travers des mailles du filet, comme un dauphin pris dans un filet de thons. Mais c'est rare et j'attribue cela en grande partie au fait que ces cadres ont effectivement quelque chose du dauphin. (Si vous regardez bien Barry Diller, vous verrez qu'il a un petit trou sur le sommet du crâne).

Ces cadres en partie dauphins sont identifiables grâce à deux caractéristiques frappantes :

1. Leur crâne dégarni
2. Leur passion pour le gratin dauphinois.

* Au cas où vous souhaiteriez aller admirer la Grande Muraille de Chine.

CONCLUSION

Loin de moi l'idée d'insinuer dans ce chapitre que le boulot de patron est un boulot d'escroc.

Les différences sont considérables, au sens où le boulot de patron paie beaucoup mieux et ne demande pas une grande vivacité d'esprit.

D'ailleurs, c'est une carrière que je recommande à tous.

LES CHEFS EN IMAGES

L'ENTREPRISE A ANNONCÉ QU'IL N'Y AURAIT NI AUGMENTATION NI PROMOTION CETTE ANNÉE.
S. Adams E-Mail: SCOTTADAMS@AOL.COM
3-10
DONC, IL EST MATHÉMATIQUEMENT CERTAIN QUE VOUS AUREZ BEAU TRAVAILLER DUR, L'INFLATION VOUS APPAUVRIRA.

© 1994 United Feature Syndicate, Inc.
JE DÉTESTAIS DÉJÀ COMME C'ÉTAIT AVANT, AVEC TOUTE L'INCERTITUDE.
JE NE SUIS PAS SEULEMENT CADRE, JE SUIS CHEF !

EN TANT QUE PATRON DE CETTE ENTREPRISE, IL EST DE MON DEVOIR DE FIXER LES PRIORITÉS.
2-16
S. Adams E-Mail: SCOTTADAMS@AOL.COM
VOICI VOTRE CALENDRIER. JE VOUS AI PRIS RENDEZ-VOUS TOUTE L'ANNÉE AVEC TOUS LES DÉBILES CAPABLES DE COMPOSER VOTRE NUMÉRO.

© 1994 United Feature Syndicate, Inc.
ÇA, ÇA POURRAIT ÊTRE UNE PRIORITÉ.

Dilbert par Scott Adams
FÉLICITATIONS !
S. Adams E-Mail: SCOTTADAMS@AOL.COM
VOUS AVEZ ÉTÉ NOMMÉ « GARDIEN D'ÉTAGE ».
EN CAS D'INCENDIE, ON COMPTE SUR VOS QUALITÉS DE CHEF POUR NOUS SORTIR DE LÀ.
VOYONS SI J'AI BIEN COMPRIS...
VOUS ÊTES LE CHEF QUAND IL S'AGIT DE PRENDRE DES DÉCISIONS SANS AUCUN ÉLÉMENT EN ÉCHANGE D'ÉNORMES STOCKS OPTION
© 1995 United Feature Syndicate, Inc.
1-8
MAIS C'EST MOI LE CHEF QUAND IL FAUT RISQUER SA VIE AU CŒUR DE LA TOUR INFERNALE PENDANT QUE VOUS PIÉTINEZ LE CORPS EN CENDRES DE VOS COLLÈGUES TOMBÉS.
QU'EST-CE QUI VOUS FAIT CROIRE QUE VOTRE VIE VAUT PLUS QUE LA MIENNE ?
J'AI DES STOCKS-OPTION ET VOUS, VOUS ÊTES GARDIEN D'ÉTAGE.
INUTILE D'ESPÉRER UNE RÉA.

POUVEZ-VOUS JUSTIFIER VOTRE RETARD D'UNE SEMAINE SUR LE PLANNING ?
VOUS ÊTES UN SI MAUVAIS PATRON QUE VOUS AVEZ TOTALEMENT RUINÉ L'ENTHOUSIASME DONT J'AVAIS BESOIN POUR TENIR LES DÉLAIS. MAIS CE N'EST PAS ENTIÈREMENT VOTRE FAUTE.
POUR ÊTRE HONNÊTE, VOS PARENTS DOIVENT ENDOSSER UNE CERTAINE PART DE RESPONSABILITÉ DANS VOTRE CRÉATION.
MÊME S'ILS ÉTAIENT IVRES ?

MON NOUVEAU STYLE DE MANAGEMENT M'ÉPUISE.
J'AI ENTENDU CERTAINS PARLER DE « MPLP », AUTREMENT DIT DE « MANAGEMENT PAR LA PROMENADE ».
J'AI MARCHÉ JUSQU'AU PARC ET RETOUR. MAIS JE NE PEUX PAS DIRE QUE ÇA SE SOIT POUR AUTANT AMÉLIORÉ PAR ICI.

J'APPRENDS DE SOURCE SÛRE QUE NOTRE PDG A ÉMIS UNE SORTE DE ROT AU DÉJEUNER.
QU'EST-CE QUE ÇA SIGNIFIE ? EST-CE LE SIGNAL D'UN NOUVEL ENSEMBLE DE PRIORITÉS ? NOUS DEVONS TÉMOIGNER NOTRE ENGAGEMENT À L'ÉGARD DE CETTE VISION.
QUEL ÉTAIT LE CONTEXTE DE LA VISION ?
TOUT CE QU'ON SAIT C'EST QU'IL ÉTAIT EN TRAIN DE MANGER UN HAMBURGER.

NOUS AVONS REDESSINÉ L'ORGANIGRAMME DE TELLE SORTE QUE LA DIRECTION SE TROUVE EN BAS, EN TÉMOIGNAGE DE SON SOUTIEN AUX SALARIÉS LES PLUS IMPORTANTS !
QUESTION : POURQUOI LES SALARIÉS LES PLUS IMPORTANTS SONT-ILS LE MOINS BIEN RÉMUNÉRÉS ?
PARCE QU'ILS N'AURAIENT JAMAIS L'IDÉE D'UN CONCEPT TEL QUE « L'ORGANIGRAMME RENVERSÉ ».

VOUS FERIEZ MIEUX DE CONVOQUER TOUS LES CHEFS DE SERVICE EN RÉUNION. LEURS ORDRES ANNULENT CEUX DU COMITÉ DE DIRECTION ET LES RENDENT DISCUTABLES.

ON DOIT ARRÊTER TOUT TRAVAIL PRODUCTIF ET PRÉPARER DES TRANSPA-RENTS EXAGÉRANT NOTRE VALEUR.

TYPES DE PATRON
RETROUVEZ VOTRE PROPRE PATRON
S. ADAMS E-MAIL: SCOTTADAMS@AOL.COM
PRENEUR D'OTAGES : VOUS COINCE DANS VOTRE BUREAU POUR VOUS ASSOMMER.
BLA BLA BLA
OH !!
IMPOSTEUR : HOCHE VIVEMENT LA TÊTE POUR STIMULER SA COMPRÉHENSION.
ENSUITE NOUS METTRONS NOS ADRESSES IP EN SOUS-RÉSEAU.
OUI OUI OUI
MENTEUR PAR MOTIVATION : N'A AUCUNE IDÉE DE CE QUE VOUS FAITES MAIS VOUS ASSURE QUE VOUS ÊTES LE MEILLEUR
PERSONNE NE PEUT FAIRE CE QUE VOUS FAITES !!
SAUF UN CHAMPIGNON
SURPROMU : TENTE DE MASQUER SON INCOMPÉTENCE DERRIÈRE UNE POMPEUSE COMMUNICATION
VÉRIFIONS LA QUALITÉ DE NOTRE PARADIGME AFIN DE NOUS ÉVITER UNE SURINONDATION DE DONNÉES.
© 1995 United Feature Syndicate, Inc.
FOUINE : S'ATTRIBUE LES MÉRITES DE VOS EFFORTS.
VOICI UNE PRIME POUR AVOIR SI BRILLAMMENT FORCÉ VOTRE ÉQUIPE À TRAVAILLER 80 HEURES PAR SEMAINE.
ÇA N'A PAS ÉTÉ FACILE !
MOÏSE : ATTEND TOUJOURS UN SIGNE PRÉCIS D'EN-HAUT.
NE FAITES RIEN D'IMPORTANT POUR L'INSTANT
COMME D'HABITUDE.
PATRON PARFAIT : MEURT DE MORT NATURELLE UN JEUDI APRÈS-MIDI.
QU'EST-CE QU'ON FAIT ?
WEEK-END DE TROIS JOURS !

UN NOUVEAU MODÈLE D'ENTREPRISE : L'A6HD

Dans ce chapitre, vous découvrirez tout un éventail de suggestions non expérimentées proposées par un auteur qui n'a jamais réussi à gérer autre chose que ses chats. (D'ailleurs, maintenant que j'y pense, ça fait deux jours que je n'ai pas vu le gris.)

Comme j'ironise sur les méthodes actuelles de management, certains s'imaginent que je dois avoir d'excellentes idées que je garde jalousement pour moi. Avec le temps, je me suis mis à le croire moi-même. (Si cela ne prouve pas ma thèse fondamentale, selon laquelle nous sommes tous idiots, alors rien ne le pourra).

Je doute que ce que vous avez lu jusqu'ici améliore vos conditions de vie en quoi que ce soit, mais je suis assez certain que cela ne vous aura pas fait de mal non plus. Et c'est toujours mieux que bien des choses que vous faites actuellement.

Si d'aucuns sont assez crédules pour suivre mes recommandations, qu'ils ne viennent pas se plaindre de ne pas avoir été prévenus.

Cela dit, je pense que vous trouverez quelques idées intéressantes ici.

L'ESSENTIEL

Dans le management, la clé de la réussite consiste à savoir faire la différence entre ce qui est essentiel pour réussir et ce qui ne l'est pas.

Voici ma grande idée à propos de ce qui est essentiel dans l'entreprise :

En général, les entreprises dotées de salariés efficaces et de bons produits marchent bien.

Tan-tan-tan-tan !!

Cela vous semble peut-être aussi évident que le nez au milieu de la figure, mais regardez bien votre entreprise et dites-moi combien d'activités vous y voyez qui ne vous éloignent pas de quelque chose qui améliorerait soit l'efficacité de votre personnel soit la qualité de votre produit. * (Remarque : si vous occupez un poste dans l'un de ces secteurs, vous feriez peut-être mieux de penser à remettre votre CV à jour.)

Toute activité qui vous éloigne ne serait-ce que d'un pas de votre personnel ou de votre produit finira par échouer ou par ne plus rapporter grand-chose.

Vous ne vous en rendrez pas compte tant que vous le ferez, mais je vous assure que c'est un schéma assez systématique.

Il m'est difficile de définir ce que je veux dire par « qui vous éloigne d'un pas » mais c'est le genre de choses qu'on sait reconnaître quand on s'y trouve confronté.

Voici quelques exemples pour vous aider :

- Si vous rédigez des programmes pour la sortie d'un nouveau logiciel, c'est essentiel, parce que vous améliorez le produit. Mais si vous êtes en train de mettre au point une politique sur la rédaction des logiciels, vous vous éloignez d'un pas.
- Si vous testez un meilleur moyen d'assembler un produit, c'est essentiel. Mais si vous travaillez au sein d'un groupe sur le développement d'un système de suggestion, vous vous éloignez d'un pas.
- Si vous parlez à un client, c'est essentiel. Si vous parlez des clients, vous vous éloignez probablement d'un pas.
- Si vous participez à l'une des activités figurant sur la liste ci-après, vous vous éloignez d'un pas de ce qui est essentiel dans votre entreprise et vous ne manquerez à personne le jour où vous serez enlevé par des extra-terrestres.

* Quand je parle de « produit », je veux dire l'ensemble du produit tel qu'il est perçu par le client, y compris la livraison, l'image et le circuit de distribution.

CE QUI N'EST PAS ESSENTIEL

Les équipes qualité
Les équipes d'amélioration de la procédure
Les comités de reconnaissance
Les enquêtes de satisfaction des salariés
Les systèmes de suggestion
ISO 9000
Les normes
L'amélioration de la politique
La réorganisation
La budgétisation
La rédaction de déclarations de vision
La rédaction de programmes de mission
L'établissement d'une « liste d'équipement approuvé ».

Ces activités « de niveau -1 » sont irrésistibles. Vous pouvez trouver des arguments convaincants en faveur de chacune d'entre elles. Vous ne pourriez pas, par exemple, gérer une entreprise sans procédure de budgétisation. Je ne suis pas en train de vous suggérer d'essayer, mais je pense qu'il vaut mieux que vous concentriez votre énergie sur les choses essentielles (le personnel et le produit) en suivant une règle très simple pour toutes les activités de niveau -1 : la cohérence.

Résistez au besoin de remanier sans cesse. Il est toujours tentant d'« améliorer » la structure de l'organisation, de revoir la politique de l'entreprise pour aborder une nouvelle situation ou de créer des comités pour améliorer le moral des troupes. Prises individuellement, toutes ces choses semblent logiques. Mais l'expérience montre qu'on se retrouve généralement avec quelque chose qui ne présente guère plus d'efficacité que ce qu'on avait avant.

Par exemple, les entreprises remanient sans cesse la formule de rémunération des salariés. Cela donne rarement un personnel plus heureux et plus productif. Les salariés gaspillent leur énergie à ronchonner et à refaire leur CV, tandis que les cadres gaspillent la leur à expliquer et à justifier le nouveau système.

Selon la règle de la cohérence, vous devriez conserver votre grille de salaires actuelle, sans aucune fioriture, à moins que ce ne soit une véritable abomination. L'entreprise qui se concentre sur les choses essentielles génère suffisamment de revenus pour que n'importe quelle grille de salaires semble adéquate.

Le meilleur exemple d'activité de niveau -1 parfaitement vaine même si cela paraît être une bonne idée au départ, c'est encore la réorganisation. Avez-vous jamais vu une réorganisation interne qui ait véritablement amélioré soit l'efficacité du personnel, soit la qualité du produit ?

Parfois, la réorganisation sert de prétexte pour se débarrasser des cornichons, mais cela justifie difficilement le dérangement occasionné. La règle de la cohérence voudrait qu'on laisse l'organisation telle quelle, à moins d'un changement fondamental d'activité. Ajoutez ou supprimez des gens selon vos besoins, mais ne touchez pas à la structure. Donnez une chance aux salariés de consacrer un peu de temps à autre chose qu'à classer des cartes de visite.

Dans l'ensemble, les activités de niveau -1 fonctionnent toutes seules lorsqu'on se débrouille bien avec son personnel et ses produits. Une entreprise qui possède un bon produit a rarement besoin d'un programme de mission. Les salariés efficaces suggèrent des améliorations sans pour autant faire partie d'une équipe Qualité. Personne ne regrettera le comité de reconnaissance des salariés si les cadres sont efficaces et savent reconnaître régulièrement les bonnes performances. La budgétisation aura soudain l'air très simple si vous gagnez de l'argent (en vous concentrant sur vos produits).

En ce qui concerne la cohérence, j'aimerais faire une exception pour les changements suffisamment radicaux pour être qualifiés de « reengineering ». C'est le bricolage que je refuse, pas la suppression ou la rationalisation absolue.

Si, comme moi, vous trouvez qu'on dépense beaucoup trop d'énergie dans les activités de niveau -1, la question suivante est de savoir comment se concentrer sur les choses essentielles que sont l'augmentation de l'efficacité de son personnel et de l'attractivité de son produit.

Mais je suis là pour vous aider.

A SIX HEURES DEHORS

J'ai élaboré un modèle conceptuel de l'entreprise parfaite.

L'objectif premier de cette entreprise est de rendre les salariés aussi efficaces que possible. A mon avis, les meilleurs produits sont générés par le personnel le plus efficace, par conséquent l'efficacité du personnel est la chose la plus essentielle des choses essentielles.

Le but de mon hypothétique entreprise consiste à obtenir le meilleur des salariés en faisant en sorte qu'ils quittent le travail à six heures. Finir à six heures est tellement essentiel pour tout ce qui suit que j'ai baptisé l'entreprise A6HD (à six heures dehors) afin de souligner la pertinence de mes arguments. Si vous laissez échapper cette partie du concept, le reste s'effondre. Vous allez voir pourquoi.

Dans le monde actuel de l'entreprise, le salarié qui passe la porte à six heures tapantes s'attire davantage de méfiance qu'une crèche fondée par Michael Jackson. Le but de l'A6HD est de changer cela, de garantir que le salarié qui part à six heures a fait sa part de travail et que tout le monde le reconnaît. Pour que cela soit possible, l'entreprise A6HD doit s'y prendre autrement.

Les entreprises ordinaires dépensent une énergie folle à essayer d'améliorer la satisfaction de leur personnel. C'est très gentil à elles, mais regardons les choses en face : personne n'aime travailler. Si les gens aimaient ça, ils travailleraient pour rien. Le travail est une chose fondamentalement désagréable par rapport aux autres choix possibles, et c'est la raison pour laquelle il faut le rémunérer. Dans l'entreprise A6HD, on reconnaît qu'aider le personnel à quitter son travail le plus tôt possible est le meilleur moyen qu'il en soit satisfait.

L'entreprise A6HD ne cherche pas à faire baisser le rendement des salariés mais à réduire leur temps de travail.

Elle repose sur les principes suivants :

- Un salarié heureux est plus productif et créatif qu'un salarié malheureux.
- Il y a une limite au bonheur qu'on peut tirer de son travail. On est même d'autant plus heureux qu'on passe moins de temps au travail.
- Le quidam ordinaire n'est mentalement productif que quelques heures par jour, quel que soit le nombre d'heures qu'il passe à « travailler ».
- On sait parfaitement compresser ses activités pour qu'elles prennent le moins de temps possible. Cela accroît à la fois l'énergie dépensée et l'intérêt développé pour l'activité. On en tire un profit immédiat et personnel, celui de rentrer chez soi de bonne heure.

- L'entreprise ne peut pas faire grand-chose pour stimuler le bonheur et la créativité, mais elle peut faire beaucoup pour les tuer. Elle doit donc rester en dehors du chemin. Lorsqu'une entreprise cherche à encourager la créativité, c'est un peu comme lorsqu'un ours danse avec une fourmi. Tôt ou tard, la fourmi se rend compte que c'est une mauvaise idée, même si ce n'est pas le cas de l'ours.

RESTER À L'ÉCART

La plupart des gens sont créatifs par nature et heureux par défaut. Cela n'est pas très évident parce que le management moderne est conçu pour étouffer ces élans. L'entreprise A6HD est conçue pour se tenir à l'écart et laisser les bonnes choses se produire.

Voici comment :

1. En laissant les salariés s'habiller comme ils veulent, décorer leur bureau comme ils l'entendent et adopter la mise en page de leur choix pour leurs notes. Personne n'a jamais apporté la preuve que ces domaines ont un impact sur la productivité. Mais quand vous « gérez » ces choses, vous faites clairement savoir que la conformité est une chose qu'on estime davantage que l'efficacité ou la créativité.

   Mieux vaut rester à l'écart et renforcer l'idée que vous attendez de votre personnel qu'il se concentre sur ce qui est important.

   Je serais prêt à recommander que le personnel puisse utiliser le type d'ordinateur de son choix. Chaque situation est différente, mais il peut s'avérer effectivement plus efficace de maintenir un type d'ordinateur standard.

   L'efficacité doit être placée avant la créativité, sinon c'est le chaos.

2. En supprimant toute procédure de « créativité » artificielle dans l'entreprise, comme les plans de suggestion des salariés ou les équipes Qualité. La créativité vient naturellement lorsqu'on fait tout le reste correctement. Si vous possédez une bonne messagerie électronique, un organigramme stable et qu'il règne une atmosphère bon enfant sur le lieu de travail, les bonnes idées viendront à la bonne personne sans aucune aide. Le principal c'est de faire savoir aux gens que la créativité est une bonne chose. Ensuite, il ne faut plus s'en mêler.

QUE FAIT LE CADRE DE L'ENTREPRISE A6HD ?

« Ne pas s'en mêler » n'est pas suffisant comme profil de poste pour un cadre. Alors, si vous voulez être cadre dans une entreprise A6HD, il faut faire une part concrète de travail.

Voici les activités les plus utiles qui me viennent à l'esprit pour un cadre :

1. Eliminer les sales cons.
   Rien n'est pire pour le moral et l'efficacité du personnel qu'une poignée de sales cons sadiques qui semblent n'exister que pour rendre la vie impossible aux autres.

Malheureusement, les sales cons possèdent souvent d'importantes compétences professionnelles que vous souhaiteriez conserver. Croyez-moi, ça n'en vaut jamais la peine. Dans l'entreprise A6DH, si vous rendez vos collègues malheureux, c'est que vous êtes incompétent par définition. Il n'y a pas de mal à être « dur » ou « agressif », à ne pas être d'accord ou même à crier. Cela ne veut pas forcément dire que vous êtes un sale con. Les conflits ont parfois du bon. Mais si vous manquez de respect ou si vous donnez l'impression d'aimer ça ou si vous le faites à la moindre occasion, alors oui, vous êtes un sale con. Et c'en est fini de vous.

2. Faire en sorte que le personnel apprenne quelque chose tous les jours.
   Dans l'idéal, il faudrait naturellement qu'il apprenne des choses qui l'aident directement dans son travail. Mais de toute façon, il est important de l'encourager à apprendre n'importe quoi.
   Plus on sait de choses, plus il se forme de connexions dans le cerveau et plus les tâches deviennent faciles. Le fait d'apprendre donne de la satisfaction dans le travail, ce qui renforce l'ego et le dynamisme.
   En tant que cadre d'entreprise A6HD, vous devez faire en sorte que chacun apprenne quelque chose tous les jours.

   Voici quelques moyens pour vous en assurer :

   - Appuyez les demandes de formation même lorsqu'elles ne présentent aucun rapport direct avec le travail.
   - N'hésitez pas à faire partager votre savoir et demandez aux autres d'en faire autant, si possible par petites tranches digestes.
   - Favorisez l'accès aux magazines et journaux professionnels.
   - Si le budget le permet, essayez de fournir à votre personnel des ordinateurs et des logiciels de modèles courants. Offrez-lui la possibilité de se connecter sur Internet.
   - Acceptez les expériences nouvelles de temps à autre même si vous savez qu'elles sont vouées à l'échec (si cela ne représente pas un coût trop élevé).
   - Intégrez le « partage du savoir » dans la description de poste de chacun. Récompensez les salariés qui communiquent bien les informations utiles à leurs collègues.

3. Ne jamais oublier que, collectivement, toutes ces petites choses créent un environnement qui stimule la curiosité et l'apprentissage.
   Imaginez un boulot où, après avoir fait une grossière erreur, votre patron vous dise « Alors, quelle leçon en tirez-vous ? » au lieu de « Bon sang, mais qu'est-ce que vous avez dans le crâne ? »

4. Apprendre à ses salariés à être efficaces. Montrez l'exemple, mais surtout n'oubliez jamais de souligner chez les autres les comportements suivants.

- Réservez le travail créatif pour le matin et les tâches routinières qui ne font pas appel à la réflexion pour l'après-midi. Mieux vaut, par exemple, garder les réunions de personnel (lorsqu'elles sont vraiment nécessaires) pour l'après-midi. Cela peut avoir un énorme impact sur l'efficacité réelle et apparente de chacun.
- Abrégez les réunions. Allez droit au but et poursuivez. Expliquez clairement que la brièveté et la clarté sont hautement appréciées. Pouvoir partir à cinq heures en ayant bonne conscience, c'est la brièveté récompensée. La concision est une bonne chose pour toutes les entreprises, mais il n'y a que l'entreprise A6DH qui la récompense de manière aussi directe.
- N'hésitez pas à dire clairement ce que vous pensez des activités qui n'ont aucun caractère d'urgence. Ne vous laissez pas embobiner à faire quelque chose qui vous ennuie uniquement parce que c'est poli de le faire. S'il s'agit d'une activité de niveau -1, refusez. Expliquez pourquoi vous refusez. Soyez direct.
- Interrompez les gens avec respect lorsqu'ils parlent trop longtemps sans en venir au fait. Au début, cela paraîtra grossier, mais finalement cela donne la permission à tout le monde d'en faire autant et c'est une manœuvre qui peut être très appréciable. N'oubliez pas, il y a une récompense, tout le monde part à six heures.
- Soyez efficace dans les moindres détails. Par exemple, au lieu d'accorder les fournitures de bureau au compte-gouttes, ajoutez 125 francs par mois au salaire de chaque employé à titre de « remboursement des fournitures » et laissez chacun acheter ce dont il a besoin au magasin de son choix. S'ils ne dépensent pas toute la somme, ils ont le droit de garder la différence.
- Restez simple. Si vous faites une coquille dans un memo interne, soulignez-la et diffusez le memo. Ne le réimprimez pas. Mieux encore, servez-vous du e-mail.

LE GRAND FINALE

Pour cultiver l'efficacité, il faut commencer par les petits détails de tous les jours qu'on peut directement contrôler : les vêtements, la longueur des réunions, les conversations avec les collègues, etc. La manière d'aborder ces activités quotidiennes détermine la culture de l'entreprise dans son ensemble.

Quel message l'entreprise fait-elle passer lorsqu'elle réunit des jours durant, ses cadres en petits comités pour produire un programme de mission du genre :
« Nous concevons des solutions intégrées de niveau international à l'échelle mondiale. »

Réponse : elle dit que les cadres ne savent ni écrire, ni réfléchir ni identifier les priorités.

Les cadres sont obsédés par l'« analyse globale ». Ils la cherchent dans les déclarations de vision et les programmes de mission et de qualité. A mon avis, l'analyse globale se cache dans les détails. C'est dans les vêtements, les fournitures de bureau, les commentaires désinvoltes et le café. Je suis entièrement d'accord pour travailler sur l'analyse globale, à condition de savoir où la trouver.

Finalement, et c'est la dernière fois que je le répète, nous sommes tous des idiots et nous commettons tous des erreurs. Mais ce n'est pas forcément une mauvaise chose.

J'ai une devise : « La créativité, c'est se permettre de commettre des erreurs. L'art, c'est savoir lesquelles conserver. »

Faites en sorte que votre personnel garde son entrain et continue d'être heureux et efficace. Fixez une cible, puis écartez-vous. Laissez les choses se faire. Parfois les idiots accomplissent des merveilles.

HISTOIRES D'ENTREPRISES QUI TOURNENT SUR ELLES-MÊMES

Voici certains des témoignages que je préfère au sujet d'employés dont il faudrait se débarrasser.

De : (respect de l'anonymat)
Pour : scottadams@aol.com

Scott,
Permettez-moi de vous raconter un incident qui illustre parfaitement l'étrange caractère de la condition d'« écureuil » de l'homme.

Cherchant désespérément à résoudre un gros problème

pour un client dont la machine ne fonctionne plus du tout, le technicien finit par isoler la cause et se rend compte qu'il faut remplacer une pièce.

Tout est déjà fermé. Il prend son téléphone et se met à appeler tous les magasins qu'il connaît. Finalement, il en trouve un encore ouvert et, à son grand étonnement, est accueilli par un type que son appel tardif ne semble pas trop mettre en boule. Ensemble, ils déchiffrent les runes (la microfiche), trouvent le bon numéro de pièce, vérifient dans le stock et découvrent qu'il existe une pièce en réserve.

« Super. Quel soulagement ! »

« Eh ! Je ne peux pas vous donner ÇA. »

« Mais pourquoi !? » (l'hystérie monte...)

« C'est la dernière. Si je vous la donne, je n'en aurai plus en stock ! »

...Cri d'agonie coupé net par la tonalité du téléphone...

De : (respect de l'anonymat)
Pour : scottadams@aol.com

Scott,
Je n'arrive toujours pas à convaincre mes interlocuteurs que ce qui suit s'est réellement produit.

Peu après avoir commencé dans mon premier boulot, j'ai remis un rapport de déplacement accompagné de mes notes de frais qu'on m'a immédiatement retourné parce qu'un élément « allait à l'encontre de la politique de l'entreprise ». Comme je suis un salarié concerné, j'ai tout de suite pris contact avec le bureaucrate sur le point de prendre sa retraite qui était chargé de ce genre de choses. Après lui avoir exprimé mes regrets, je lui ai demandé une copie de la politique de l'entreprise afin d'éviter les récidives. Il m'a informé que ladite politique était une chose confidentielle et n'était, par conséquent, pas à la disposition de tout le monde, parce que, sinon, « tout le monde serait au courant ».

Après un moment de contemplation silencieuse, je suis retourné humblement à mon bureau, me rendant compte que j'avais visiblement affaire à plus fort que moi.

De : (respect de l'anonymat)
Pour : scottadams@aol.com

Scott,
Le responsable du système d'information marketing, qui ne connaît rien à l'informatique, achète les ordinateurs un par un pour pouvoir les payer avec sa carte bancaire personnelle. Il demande ensuite le remboursement de ses frais. Pourquoi ? Pour gagner des kilomètres de vol gratuits, offerts par l'organisme émetteur de sa carte. Alors, il nous faut une année entière pour acheter vingt ordinateurs.

De : (respect de l'anonymat)
Pour : scottadams@aol.com

Scott,
Ceci est arrivé à l'un des collègues qui partagent mon bureau. Pour ne pas oublier ses rendez-vous, ses dates-butoir, etc., il utilise un agenda.

Comme on était en décembre, il est allé voir (comme tous les mois de décembre précédents) le « cerbère des fournitures » (la secrétaire de notre directeur) pour en avoir un nouveau. Elle l'a informé qu'elle n'en avait commandé que pour « les cadres » (dont il ne faisait pas partie) et quelques autres. Manifestement, il ne figurait pas non plus sur la liste des privilégiés.

Néanmoins, elle lui a dit que s'il lui rapportait l'ancien (pour prouver qu'il s'en servait effectivement), elle lui en donnerait un nouveau.

Ce à quoi il a répondu : « Merci, mais je crois que je vais trouver un autre moyen de consigner mes notes et mes rendez-vous. » Comme c'est un ingénieur logiciel inventif, il a maintenant des tonnes de serviettes en papier (provenant des toilettes) suspendues à ses étagères.

De : (respect de l'anonymat)
Pour : scottadams@aol.com

Scott,
Je suis actuellement ingénieur logiciel confirmé chez [société]. Comme je suis relativement jeune (vingt-quatre ans), les ingénieurs plus « expérimentés » me regardent un peu de haut.

Lors d'une réunion d'études organisée par mes soins, un type s'est levé et a commencé à dire que je n'y étais pas du tout et que ce que je proposais ne pourrait jamais marcher. Quand on lui a demandé ce qu'il suggérait à la place, il a tout de suite changé de sujet, en se lançant à toute vitesse dans une discussion confuse. Pour conclure qu'il fallait faire les choses à son idée, même si « son idée » n'était pas vraiment claire et n'avait pas grand rapport avec le problème de conception que nous avions à résoudre.

Quand on lui a demandé de justifier sa position, il a répondu qu'il avait des années d'expérience. Quand on lui a demandé d'être un peu plus précis, il a clarifié un peu les choses : « J'ai des années d'expérience. Vous ne pouvez pas comprendre. »

Inutile de dire qu'on ne l'a plus jamais convié à nos réunions.

De : (respect de l'anonymat)
Pour : scottadams@aol.com

Scott,
Histoire vraie :
Un client demande un produit et on le commande pour lui. Le type du service d'expédition saisit la commande sur la base de données en déclarant qu'il n'y a pas de problème. Quelques jours plus tard, le client appelle pour demander où en est sa commande. On appelle le service d'expédition et le type répond : « Ah oui, comme je n'ai pas pu trouver le client dans ma base de données, j'ai annulé la commande. » (Naturellement, sans rien dire à personne.) Alors, on lui demande de rechercher tout de suite le numéro de commande qu'il nous a donné. « Impossible, je ne peux pas trouver le nom de ce client » répond-il. Enfin, on lui

demande d'essayer de taper le numéro de commande qu'il nous a donné. « Ah, le voilà – c'est bien ça, il dit que j'ai annulé la commande parce que je n'arrivais pas à trouver le client dans la base. » Hum hum.

De : (respect de l'anonymat)
Pour : scottadams@aol.com

Scott,
Notre entreprise va si mal qu'on a fondé un syndicat des ingénieurs. Au cours des dernières négociations, le représentant des patrons a dit au syndicat que la direction comptait réduire l'actuelle pause déjeuner de quarante minutes (oui – quarante-deux minutes même pour être exact – il y a une sonnerie) à trente minutes. Quand on lui a demandé pourquoi, il a déclaré que trop peu de monde fréquentait la cafétéria – si la pause ne durait plus qu'une demi-heure, plus personne n'aurait le temps de sortir déjeuner et la cafétéria ferait le plein. Apparemment, ils perdent de l'argent !! (Au passage, la nourriture y est vraiment infecte.)

De : (respect de l'anonymat)
Pour : scottadams@aol.com

Scott,
Il y a quelques semaines, j'ai surpris une discussion dans le couloir à propos d'un nouveau manuel d'assurance qualité pour logiciels destiné à toute l'entreprise. Je me suis rapproché au moment où quelqu'un expliquait que tous les employés qui développaient ou utilisaient des logiciels dans des domaines sensibles devaient se conformer aux procédures décrites dans le manuel.

C'est en gros ce en quoi consiste mon travail. Il est quand même surprenant que je n'ai appris la nouvelle qu'au détour d'une conversation.

Je me suis donc rendu au service de documentation pour demander un exemplaire de ce manuel. Là-bas on m'a répondu :

« On ne peut pas vous en remettre une copie, ce document est protégé.
- Bon, alors comment je me le procure ?
- Il faut remplir ce formulaire et le faire signer par tous les directeurs.
- Mais il est écrit sur la couverture que je dois faire ce qui est dit ! »
Il m'a lancé un regard soupçonneux et m'a demandé :
- Comment le savez-vous ? »
J'ai laissé tomber et j'ai pris un formulaire.

De : (respect de l'anonymat)
Pour : scottadams@aol.com

Scott,
Ce qui suit m'est arrivé vraiment.
Nous avons récemment emménagé dans de nouveaux locaux. Comme toutes les entreprises inquiètes pour leurs bénéfices, on ne commande plus automatiquement d'énormes quantités de chaises, de placards et autres fournitures désirées par les employés. On ne commande plus rien qui ne soit absolument nécessaire.

Notre mobilier modulaire nous a été livré et monté. Peu après, les « tableaux blancs » sont arrivés et ont été accrochés au mur. Lors d'une réunion des cadres supérieurs, quelqu'un a demandé si nous allions recevoir des marqueurs et des effaceurs.

Le responsable des fournitures a répondu que cela n'était pas vraiment prévu parce qu'il lui semblait qu'on n'écrivait qu'une seule fois sur les tableaux et qu'on ne les effaçait jamais.

En voyant l'expression des autres, il a ajouté qu'il allait peut-être y réfléchir à nouveau.

De : (respect de l'anonymat)
Pour : scottadams@aol.com

Scott,
Une des choses qui me plaît le plus dans mon boulot actuel c'est que je n'ai pas encore eu l'occasion de m'écrier « J'ai vraiment l'impression de vivre dans le monde de Dilbert ! », contrairement à mon poste précédent où cela m'arrivait toutes les cinq minutes.

Enfin, c'était ce qui me plaisait, jusqu'à maintenant.

Je vais vous décrire le problème « soda » de [société] en espérant que vous trouviez quelque chose d'amusant à notre sinistre destin, quelque chose dont vous puissiez vous servir pour torturer Dilbert et Richard.

Jusqu'à ces derniers temps, nous étions une petite entreprise qui débutait. Comme dans la plupart des sociétés qui débutent, nos patrons s'assuraient que nous avions toujours de quoi nous occuper. En permanence. Ils faisaient en sorte que nous ne quittions pas notre bureau. On nous livrait nourriture, jus de fruit, soda, machines à café, jeux vidéo etc., bref tout le confort de la maison.

La nourriture a été la première à disparaître. On nous a dit qu'il y avait une « évaluation » en cours, ce qui signifie visiblement en sténo « suspension définitive, et nous espérons que vous oublierez tout cela très vite sans faire d'histoires ». Ensuite, on nous a dit qu'on aurait à payer 15 francs pour faire remplacer nos cartes d'accès, parce que « les gens les « perdent » trop souvent ».

Les guillemets autour du mot « perdent » sur les messages électroniques ont agacé beaucoup de monde. On fait peut-être « exprès » de perdre sa carte ???? Il existe peut-être un marché noir de la carte d'accès, hein ?

Le jus de fruit et le soda gratuits semblaient inattaquables, jusqu'à maintenant.

Il y a quinze jours, on a commencé à trouver que les réfrigérateurs semblaient un peu vides. Les marques de soda les plus populaires avaient disparu, le lait pour les machines à café n'était plus qu'un vague souvenir et quelques bouteilles de jus de fruit se battaient en duel.

La situation n'a pas bougé pendant plusieurs jours, les choses se détériorant au fur et à mesure que chacun s'efforçait de passer aux sodas les moins bons. Finalement, les frigos se sont entièrement vidés et les gens ont commencé à expédier des messages électroniques aux responsables.

Voici la réponse qu'ils ont reçue, diffusée à toute l'entreprise, sans signature du coupable :

Bonjour à tous,
Nous menons actuellement une « expérience » de réduction des coûts sur le café, les boissons, l'épicerie et les fournitures de bureau. Nous avons temporairement demandé à nos fournisseurs de réduire notre stock hebdomadaire habituel.

Durant cette expérience, nous espérons déterminer le type de boissons et de café les plus consommés. Nous espérons découvrir les parfums de jus de fruit/eau gazeuse/soda que nous pouvons supprimer afin d'être sûr de ne jamais manquer des produits les plus populaires ni de nous retrouver avec les moins populaires sur les bras.

Il en va de même pour les fournitures de bureau. Nous essayons de déterminer combien de sortes de stylos/papier/enveloppes/etc. nous avons vraiment besoin de conserver en stock.

Nous continuerons à commander les produits particuliers que vous nous demanderez. Notre seul souci est de faire en sorte que les coûts n'augmentent pas. Un fichier à 75 francs rend exactement les mêmes services qu'un fichier à 250 francs. Faites marcher votre bon sens.

Nous vous demandons encore un peu de patience. Je continuerai à contrôler les stocks de boissons et de café ainsi que les fournitures de bureau tout au long de cette expérience. Si nous venons à manquer de café/eau/soda/lait/etc., veuillez s'il vous plaît m'en informer. Il en va de même pour les fournitures de bureau. En attendant, veuillez vous adresser aux cuisines et réserves des autres étages pour obtenir ce que vous cherchez. Il serait également appréciable et bénéfique que vous utilisiez chaque produit jusqu'au bout. Autrement dit que vous finissiez votre canette de soda avant d'en prendre une nouvelle ou que vous utilisiez certaines de vos chemises usagées avant d'en demander de nouvelles.

Vous pouvez également nous aider en laissant les cuisines et les réserves aussi propres que chez vous.

Merci de votre aide. Dès que cette expérience prendra fin, je vous le ferai savoir.

K.

Je pense que le reste de l'histoire parlera de lui-même. Voici certaines des réponses à ce premier message, ainsi que les répliques du mystérieux K.

Echange n°1

T. Nous ne sommes pas certains de la manière dont les réductions de stock de boissons vont nous aider à en déterminer l'usage. Avec moins de stock, nos boissons préférées vont finir par disparaître et nous serons contraints de boire ce que nous aimons le moins.

En ce qui me concerne, par exemple, c'est le Coca que je préfère. Comme il n'y a plus une seule goutte de Coca dans tout l'immeuble, je bois du thé glacé. Le problème c'est que je déteste le thé glacé. J'en bois uniquement parce que j'ai besoin de caféine et que le thé glacé en contient davantage que toutes les autres boissons qui restent. Néanmoins, puisque je bois du thé glacé, vous allez penser qu'il y a une demande pour ce produit et vous allez donc en commander davantage. En plus, comme je bois plus de thé glacé que de Coca, vous allez croire que j'aime ça et vous en commanderez donc plus à l'avenir que du Coca. C'est très énervant !

Il semble que le meilleur moyen de contrôler notre consommation soit de commander d'importants volumes équivalents de chaque boisson, d'attendre une semaine et de voir quelle quantité il reste de chacune d'entre elles.

K. Excellente suggestion ! Mais, si vous êtes un aussi grand amateur de Coca que vous le dites, vous n'aurez aucune hésitation à vous rendre dans les autres étages pour en trouver. Je sais qu'il y en a près de chez nous au premier étage. Ce n'est pas des plus pratiques, mais vous trouverez certainement que cela en vaut la peine. Je suis moi-même grand amateur de Coca light. J'aime bien le thé glacé, le Fanta et le Coca, mais c'est le Coca light que je préfère. Alors je suis tout à fait prêt à faire tous les étages avant de choisir ma boisson de substitution. Mais ça ne regarde que moi.

Echange n°2

J. Cher K, veuillez me pardonner si je vous parais grossier, mais ceci est ridicule. Je n'ai absolument pas l'intention d'interrompre l'important travail que je suis en train de faire ici au troisième étage pour me promener dans les deux autres uniquement dans le but de voir s'il s'y trouve ou non la boisson que je préfère. Ce genre de promenade pèse très lourd sur ma productivité et le fait de ne pas trouver ce que je cherche à un autre étage me rendra fou. Le fait d'avoir la chance de trouver parfois certaines boissons à certains étages ne me semble pas une solution raisonnable.

Si votre objectif consiste à déterminer quelles sont les boissons préférées des gens, le système de la réduction des commandes me paraît totalement illogique, comme l'a si justement fait remarquer T. Les gens se mettront à boire des boissons qu'ils n'aiment pas particulièrement uniquement parce que leur boisson favorite aura disparu.

Depuis quelque temps, je ne bois plus que du jus de pomme. A plusieurs reprises au cours des semaines passées, il est arrivé qu'il n'y en ait pas, alors je n'ai rien bu du tout, et en plus cela m'a mis de mauvaise humeur. Je ne suis pas sûr que cela vous soit d'aucune aide pour votre expérience mais j'ai pensé que vous pourriez avoir envie de connaître ces informations.

K. Merci pour ces renseignements !

Echange n°3

D. Le manque de jus de fruit me rend furieux. Il ne reste absolument plus aucun jus de fruit dans le réfrigérateur du troisième étage. Je ne bois jamais de boissons gazeuses, alors le jus de fruit est la seule chose fournie par l'entreprise que j'accepte de boire.

Notre ancienne ration de jus de fruit était déjà suffisamment faible pour qu'on vienne à en manquer avant que le réfrigérateur soit réapprovisionné. Maintenant, il semble qu'on en ait encore moins et qu'on en manque dès le matin.

J'ai commencé mon déjeuner avant de remarquer qu'il n'y en avait plus. J'ai très soif, je suis très énervé et j'ai beaucoup de travail à faire. Il va maintenant falloir que je fasse tous les autres étages pour voir si je trouve quelque chose à boire.

Est-ce pour créer une pénurie artificielle que vous avez modifié l'ordre des boissons ?

Pourquoi ?

Cela n'est vraiment pas pratique pour moi !!!

K. « Est-ce pour créer une pénurie artificielle que vous avez modifié l'ordre des boissons ? »

Oui !

« Pourquoi ? »

Cette décision ne relève pas de moi. Encore une fois, il ne s'agit que d'une expérience et les stocks réaugmenteront bientôt.

« Cela n'est vraiment pas pratique pour moi !!! »

Désolé. je ne fais que ce qu'on m'a dit de faire.

K n'est-il pas en train de capter l'esprit de Catbert ?
Je pense qu'ils auraient indigné moins de gens s'ils avaient commencé par simplement faire payer le soda. Pendant ce temps, on continue à acheter des [équipements] très onéreux et à payer des gens à ne rien faire. Je pense qu'on devrait simplement payer le soda en choisissant un de ces employés au hasard pour l'abattre. J'ai proposé qu'on mette le choix de la personne au vote. Pour l'instant, personne ne m'a encore dit que j'étais fou.

IL Y A DE L'ESPOIR

Pour terminer, voici le message électronique que je préfère entre tous. Il me donne de l'espoir quant aux chances de survie de notre espèce.

De : (respect de l'anonymat)
Pour : scottadams@aol.com

Scott,
Lorsque j'étais plus jeune, j'ai dû me rendre en voyage d'affaires dans une grande ville. A la descente du taxi, mon parapluie est tombé par terre dans la rue et une voiture a roulé dessus avant

que j'ai eu le temps de le récupérer. En remettant ma note de frais, j'ai compté 75 francs pour mon parapluie. Naturellement, la comptabilité me l'a refusé. La fois suivante, j'ai écrit au bas de ma note de frais : « A vous de retrouver le parapluie ! »

TABLE DES MATIÈRES

Cet ouvrage a été achevé d'imprimer en février 1997
dans les ateliers de Normandie Roto Impression s.a.
61250 Lonrai
N° d'imprimeur : 970199
Dépôt légal : février 1997

Imprimé en France